CHEMINS DE PRIÈRES

MICHEL QUOIST

CHEMINS DE PRIÈRES

LES ÉDITIONS OUVRIÈRES
12, avenue de la Sœur-Rosalie
75621 PARIS CEDEX 13

Mise en pages et création couverture : Pierre Duplan

Imprimé en France

ISBN 2-7082-2570-7

Printed in France

Chers Amis,

Nous nous disons souvent :
Il faut que je prie, car « j'ai besoin » de prier.
Je désire prier, mais ne sais pas prier.
Je voudrais prier, mais je n'ai pas le temps de prier.
Je veux prier davantage, mais la prière m'ennuie et le courage me manque...

Et les heures passent, les jours et les semaines se bousculent ou s'étirent, et nous traînons avec nous cette envie qui revient, ce besoin qui nous pousse, cette profonde insatisfaction qui périodiquement nous tourmente quand, au-delà des violentes turbulences de la vie, une plage de calme nous offre un moment de paix, ou au contraire, quand les échecs et les coups, nous jettent blessés sur le bord de la route, et que nous crions : « à l'aide ».

Nous cherchons Dieu et nous voudrions Le rencontrer, pour Lui demander son aide. Nous essayons de prier, nous prions, mais notre prière est difficile et les résultats nous semblent incertains.

Savez-vous pourquoi nos pauvres efforts humains ne sont souvent que balbutiements qui échouent ; prières trop courtes qui n'atteignent pas un Dieu, qui nous apparaît trop lointain et invisible à nos yeux ?

Savez-vous pourquoi nous nous décourageons devant nos demandes sans réponses, l'épais silence de Dieu, et la nuit en notre cœur ?

Savez-vous pourquoi nos efforts pour « apprendre » à prier ne réussissent qu'à faire de nous des éternels apprentis ?

Savez-vous pourquoi tous ces moyens chaque jour renouvelés, les mots et les chants et le corps embauché, les gestes demandés et les priants chaudement rassemblés, les lumières et l'encens... et ces mille recettes inventées, risquent de n'être un jour que tristes illusions ? C'est que tous ces moyens et ces efforts ne sont rien si nous ne croyons pas d'abord, que c'est Dieu qui depuis toujours « nous cherche » avant que nous Le cherchions ; que c'est Lui qui nous prie avant que nous Le prions ; que c'est Lui qui nous demande de l'exaucer avant que nous-mêmes l'implorions.

Saint Jean nous dit : « En ceci consiste l'amour : ce n'est pas nous qui avons aimé Dieu, mais c'est Lui qui nous a aimés et qui a envoyé son Fils... » (1ʳᵉ Épître 4, 10).

Tout est là. *Dieu « a tant aimé le monde qu'il a envoyé son Fils » au-devant de nous. Il est venu chez nous. Il demeure avec nous « tous les jours jusqu'à la fin des temps » (Matthieu 28, 20). Il nous accompagne, Il nous sollicite sans cesse pour que nous travaillions avec Lui et son Esprit d'amour. Et nous, les yeux fermés, trop souvent, nous le cherchons « au ciel », dans les nuages de nos belles idées ou dans l'effervescence de nos beaux sentiments et de nos émotions. C'est alors que nous risquons très fort de rater son passage.*

Oui ou non, croyons-nous que Dieu est venu en Jésus Christ, homme comme nous, au milieu de nous ? Si oui, nous devons l'accueillir, et l'un des lieux privilégiés de la rencontre doit être pour nous l'Évangile ; non pas bien sûr, l'Évangile reçu comme un enregistrement des paroles mêmes de Jésus de Nazareth, mais comme l'essentiel de son message, recueilli par

les apôtres, médité par les premières communautés chrétiennes,
authentifié par son Église. A travers l'Écriture Sainte, et d'une
manière éminente à travers l'Évangile, Dieu engage le dialogue
avec l'homme. A l'homme de répondre, c'est l'une des bases
essentielles de la prière chrétienne.

Mais Jésus de Nazareth est mort. Nous croyons qu'il
est ressuscité. Il vit aujourd'hui. Son histoire n'est pas pour nous
une « histoire ancienne » dont il faut seulement « se souvenir »,
c'est une réalité, mystérieuse certes, mais qui se déroule dans le
temps. Jésus Christ continue de naître, de vivre, de souffrir, de
mourir, de ressusciter chaque jour dans ses membres. Notre vie
quotidienne dans ses moindres détails, la vie de nos frères
individuellement, et collectivement l'histoire de toute l'huma-
nité, sont le deuxième lieu de rencontre et de dialogue de
l'homme avec Dieu

Hélas, trop souvent, nous sommes aveugles et nous ne
« voyons » pas Jésus Christ nous faire signe à travers la vie.
Nous sommes sourds et nous ne « l'entendons » pas nous
interpeller sur nos routes quotidiennes. Il faut Lui demander de
nous guérir de notre cécité et de notre surdité. Alors nous
pourrons Lui parler, re-liant sans cesse tout l'univers, toute
l'humanité, à son Action dans le monde, et nos vies peu à peu,
deviendront réponse d'amour à l'Amour qui invite.

Il y a certes d'autres « chemins de prières », la liturgie,
les sacrements..., mais si nous « détachons » notre prière de
l'Évangile et de la vie, nous risquons fort de nous engager dans
des voies sans issues. Elles nous mèneront à l'illusion et la
désillusion. C'est pour permettre à quelques-uns d'entre nous
d'éviter ce danger, que je vous offre ces pages.

Depuis longtemps de très nombreux lecteurs du pre-
mier livre PRIÈRES, en réclamaient de nouvelles. Régulière-

ment je refusais ne voulant en aucunes manières substituer mes mots aux vôtres, ma prière à votre prière. Et puis tant et tant de livres paraissaient déjà qui nous proposaient de nombreux textes... ! Fallait-il en offrir de nouveaux ?

Si j'ai enfin cédé c'est aussi parce que j'ai conscience de ne rien vous donner, mais de vous restituer ce que le Seigneur et vous-mêmes m'avez donné.

J'ai été séduit par Jésus Christ et j'essaye de Le suivre. Il me « parle » dans l'Évangile et de cette parole je me nourris. Mais il me « parle » aussi à travers la vie, celle que je contemple sur mes propres chemins, celle que vous me confiez. Et je « garde tout cela en mon cœur » et les mots de ma prière ne sont que tentative de répondre à cette double et pressante interpellation du Seigneur.

Je vous livre pêle-mêle quelques-uns de ces mots. Ce sont les miens, les vôtres et quelquefois même ceux que Jésus, je l'imagine, nous dirait si nous pouvions l'entendre de nos oreilles de chair. Il faut en effet oser prêter des mots à Jésus, qui n'en a plus pour s'adresser à nous dans le complexe cheminement de nos vies. Si nous nous nourrissons d'Évangile, peu à peu nous acquérons des « réactions d'Évangile » et nous pouvons alors loyalement nous poser la question : « Qu'est-ce que Jésus Christ me dit, aujourd'hui, à travers tel ou tel morceau de ma vie ou de celle de mes frères ? » — « Qu'est-ce qu'il attend de moi, de nous ? ». Alors il faut lui répondre par la prière et par les actes.

J'aurais voulu vous offrir des mots qui soient beaux, très beaux, dignes du Seigneur et de vous, mais il aurait fallu beaucoup de temps, de talent et surtout d'amour pour les pétrir et les façonner plus longuement encore, avant de vous les livrer. De tout cela je manque. Mais je me console en me disant que ces prières ne sont que quelques « chemins » pour vous aider, si possible, à continuer votre pèlerinage vers Dieu, venu en Jésus Christ au cœur de nos vies.

Il nous attend !

Bonne route, mes Amis ! Encore une fois, puissions-nous ne pas rater son passage en Le cherchant là où Il n'est pas. Et puissions-nous sans cesse nous re-lier à Lui à travers notre vie, celle de nos frères et la vie du Monde. *Alors toute l'Histoire humaine deviendra en Jésus Christ « PRIÈRE ».*

Michel Quoist

Tout homme est heureux quand on l'admire pour lui-même, mais il est souvent plus touché encore quand on reconnaît sincèrement la grandeur de son œuvre. S'il est père, sa joie est à son comble quand on le complimente pour ses enfants.

Pourquoi Dieu ne serait-il pas, lui aussi, sensible à cet hommage ? Il faut certes lui rendre gloire pour ce qu'il est, mais ne pas oublier de le louer pour ce qu'il fait et spécialement pour ses enfants chéris, les hommes, qu'il accompagne sans cesse, heureux qu'ils grandissent en la vie qu'il leur a donnée. Certains l'oublient, persuadés de lui « faire plaisir » en ne pensant qu'à « Lui ».

Rendre gloire à Dieu à travers l'homme qui se développe, c'est rejoindre le regard aimant et fier de notre Père, Lui qui ne quitte pas des yeux ses fils au point que « pas un cheveu de leur tête ne tombe, sans qu'Il ne le remarque ».

La gloire de Dieu dit Saint Irénée « c'est l'homme vivant. La vie de l'homme, c'est Dieu ».

Gloire à Toi, mon Dieu !

Gloire à Toi, mon Dieu !
Pour le petit enfant qui apprend à marcher,
    lâche la main de sa mère,
    tombe,
    se relève
    et tente à nouveau l'aventure
Pour le gamin sur la bicyclette
    qui s'essaye de rouler sans tenir le guidon,
    et vingt fois recommence avant d'y parvenir
Pour l'adolescent qui peine
    sur son problème de mathématique,
    mais s'acharne
    et veut seul trouver la solution,

Gloire à Toi, mon Dieu !
Pour les sportifs qui s'entraînent chaque jour
    à courir plus vite,
    sauter plus loin,
    et toujours plus haut,
    afin de battre leur record
Pour les artistes qui luttent avec la pierre ou le bois,
    les couleurs ou les sons,

pour créer œuvres nouvelles

Pour les chercheurs qui dans l'ombre étudient,
expérimentent,
afin de percer les secrets de ce monde
qu'ensemble nous habitons,

Gloire à Toi, mon Dieu !
Pour ces mineurs qui arrachent à la terre le minerai,
pour ceux qui le fondent
et ceux qui font l'outil
et la machine
Pour ces architectes et ces armées de maçons,
qui bâtissent maisons, cathédrales et villes
Pour les savants, les ingénieurs, les techniciens,
la multitude des travailleurs
de l'esprit et des mains,
qui lentement dominent la terre
et apprivoisent la vie
Pour tous ceux qui luttent
pour développer l'homme et les peuples
et bâtir un monde de justice et de paix,

Gloire à Toi, mon Dieu !
Pour l'homme qui lentement *s'élève*
à travers l'immensité du temps
depuis qu'émergeant de la glaise
tu l'as voulu debout,
depuis qu'étincelle d'esprit allumé en la chair,
tu l'as voulu pensant, aimant
et participant à sa propre création,
depuis qu'entre ses mains enfin libérées,
tu lui remis l'univers,

pour qu'il en prenne possession
l'aménage et le transforme,

Gloire à Toi, mon Dieu !
Pour cette prodigieuse et merveilleuse montée
humaine
Pour ta joie de nous voir grandir
Pour ton humilité,
Toi qui s'effaces devant nous
au lieu de prendre notre place
Pour ta patience devant nos lenteurs,
nos erreurs et nos chutes,

Gloire à Toi, enfin, mon Dieu,
Parce que tu as créé l'homme libre,
et digne de Te rencontrer,
capable de Te connaître
et de T'aimer
Parce que tu n'as pas cru déchoir,
en devenant toi-même,
un HOMME,
en ton Fils Jésus
Parce que par Lui,
si nous le désirons,
nous pouvons,
ensemble te dire *notre père*,
et venir un jour chez Toi,
vivre en ton Amour
et ta Joie éternelle.

C'est vous la lumière du monde !

On ne peut pas cacher une ville située sur une hauteur et on ne fait pas brûler une lampe à huile pour la mettre sous le boisseau, mais sur le support. Elle brille alors pour tous ceux qui sont dans la maison. Que brille ainsi votre lumière aux yeux de tous pour qu'on voie le bien que vous faites et que l'on chante la splendeur de votre Père qui est Dieu.

Matthieu 5, 14-16

A Celui dont la puissance agissant en nous est capable de faire bien au-delà, infiniment au-delà de tout ce que nous pouvons demander ou concevoir, à Lui la gloire, dans l'Église et le Christ Jésus, pour tous les âges et tous les siècles ! Amen.

Épître aux Éphésiens 3, 20-21

Les citations d'Évangile sont tirées du *CHRIST EN DIRECT* de Gérard et Marie SEVERIN paru aux Éditions Ouvrières.

Beaucoup de jeunes et quelquefois de moins jeunes, règlent leurs actions en fonction de l'envie qu'ils ont ou qu'ils n'ont pas de les accomplir. Pour certains il s'agit plus ou moins consciemment d'un refus de l'effort, pour d'autres de la ferme conviction que dans beaucoup de circonstances ils ne doivent pas faire ce qu'ils n'ont point envie de faire. Se « forcer » pensent-ils, ce n'est pas être vrai, c'est jouer la comédie, surtout quand il s'agit des autres et plus encore de Dieu : « si je n'ai pas envie, je ne vais pas sourire à l'autre, prier, ou aller à la messe...! »

Cette attitude est fruit d'une fausse conception de la liberté et d'une mauvaise éducation. On a cru respecter la liberté de l'enfant en respectant ses « envies » : il ne « termine pas ce qu'il a dans son assiette » car il n'a plus envie ; il ne dira pas « au revoir à la dame » car il n'en a point envie ; il « laisse le catéchisme » car il n'en a plus envie...

La liberté que le Seigneur nous offre n'est pas la liberté pour faire n'importe quoi, mais la liberté pour aimer authentiquement, nous-même, les autres et Dieu, quelles que soient nos envies.

Jésus-Christ « n'avait pas envie » de mourir pour nous.

Seigneur
pourquoi faut-il toujours se forcer ?
... Je n'ai pas envie

Seigneur
pourquoi faut-il toujours se forcer ?
    ... je n'ai pas envie.

Je n'ai pas envie de me lever
    et pas envie de me coucher.
Je n'ai pas envie de partir au travail
    ou d'aller au collège.
Je n'ai pas envie de faire le ménage
    et pas envie de repasser le linge.
Je n'ai pas envie d'éteindre le poste de télévision
    et de faire *mes devoirs*.
Je n'ai pas envie de me taire
    ou pas envie de parler.
Je n'ai pas envie d'aller le voir
    de lui serrer la main
    et pas même de lui sourire.
Je n'ai pas envie de l'embrasser.
Je n'ai pas envie de rendre le service demandé,
    de m'engager,
        et pas envie d'aller à cette réunion.
Je n'ai pas envie de résister

à l'appel des sentiers de traverses
au détour de ma Route,
et pas envie d'éteindre ces images dorées,
projetées sans cesse
sur l'écran de mes rêves.
Je n'ai pas envie de me battre contre le temps,
de m'arrêter
de réfléchir
de méditer ta parole
et pas envie de te prier.

Seigneur,
Pourquoi faut-il toujours se forcer,
pour vivre chaque jour,
comme tu veux que l'on vive ?
Ce n'est pas facile,
Ce n'est pas gai.
J'ai si souvent envie de faire
ce que je ne dois pas faire,
et si peu envie de faire,
ce qu'il faut que je fasse !
Seigneur,
est-il vrai qu'il faille toujours se forcer
... quand on n'a point envie !

Mon petit, dit le **Seigneur**
il est vrai,
que la graine doit être chaque jour arrosée,
pour nous donner son arbre,
que la mère doit peiner pour que naisse l'enfant,
et les parents pour l'élever,
jusqu'à sa taille d'homme,

que le boulanger doit travailler de nuit
        pour pétrir le pain,
et les ouvriers s'astreindre à la chaîne
        pour que roule l'automobile
        ...même s'ils n'ont point envie.

        il est vrai,
que les savants doivent longuement chercher
        pour trouver le médicament qui guérit,
que des hommes doivent sacrifier leur vie
        pour qu'advienne la justice,
et que les amoureux doivent mourir chaque jour
aux désirs égoïstes,
        pour que vive l'amour
        ...même s'ils n'ont point envie.

Car où serait ta dignité mon petit,
        ta belle liberté
        et ton pouvoir d'aimer,
Si le Père te donnait l'arbre et l'enfant tout fait,
        et le pain cuit sur la table servie,
        et le médicament sauveur sans erreurs possibles,
        et l'univers comme un paradis pour une humanité
paisible,
        et les amours en fleurs,
        sans risque de faner ?

Il est difficile d'être homme,
        et difficile d'aimer.
Je le sais.
Je n'avais point envie de gravir pendant trente ans
        les marches du calvaire,
Mais mon Père désirait que ma vie tout entière,

pour vous tous soit offerte,
24 Et moi, je vous aimais, mes frères,
    et si *je me suis forcé*,
    pour monter sur la croix,
    c'est pour que tous vos efforts un jour,
    soient couronnés de VIE.

Va, mon petit,
Ne te demande pas si tu as envie de faire ceci ou cela,
demande-toi *si le Père le désire*
    pour toi et pour tes frères
Ne me demande pas la force de te forcer,
demande-moi d'abord *d'aimer de toutes tes forces,*
    et ton Dieu et tes frères
Car si tu aimais un peu plus,
    tu souffrirais beaucoup moins
et si tu aimais beaucoup plus,
    de ta souffrance jaillirait la JOIE
    en même temps que la VIE.

— « *A votre avis, dit Jésus :*
Un homme avait deux fils... Il s'approche du premier et lui dit :
— « *Mon gars, aujourd'hui, va travailler à la vigne* ».
Il lui répond :
— « *Oui, Monsieur !* »
Mais il n'y va pas.
Il s'approche du second et lui dit la même chose.
Mais celui-ci répond :
— « *Je n'ai pas envie !* »
Puis il change d'avis.
Lequel des deux a agi selon le désir du Père ? »
Ils répondent : — « *Le second !* »
Jésus leur dit :
— « *Je vous en donne ma parole : ceux qui ramassent les impôts des Romains et les prostituées vous dépassent dans le Royaume de Dieu !* ».

Matthieu 21, 28-31

Jésus appelle la foule avec ses disciples et leur dit :
— « *Si quelqu'un veut venir à ma suite, qu'il dise* « *non* » *à lui-même, qu'il prenne sa croix et qu'il vienne, avec moi.*
Oui, si on veut sauver sa vie, on la perd.
Si on perd sa vie à cause de moi, et de l'Évangile, on la sauve ! »
Quel intérêt de gagner le monde entier si l'on gâche sa vie ?
Et que donnerait-on en échange de sa vie ?

Marc 8, 34-37

Les éducateurs veulent « former » ceux dont ils ont la charge. Les chrétiens dévoués et généreux désirent « faire du bien » à ceux qui les entourent. Les uns et les autres pensent pouvoir « de l'extérieur » leur apporter ce qui leur manque et les libérer de ce qu'ils jugent être mauvais en eux.

Notre bonne volonté est souvent orgueilleuse et indiscrète. Orgueilleuse parce que nous nous situons comme des riches qui savent et qui possèdent, face aux autres qui sont pauvres. Indiscrète parce que l'autre est le premier responsable de sa vie et que nulle « pression » extérieure ne peut se justifier.

Il nous faut d'abord croire en l'autre, en la vie qui l'habite. Tout faire pour la mettre en valeur à ses yeux. L'aider à la développer, plutôt que de passer son temps à vouloir rectifier, détecter le mal et tenter de l'arracher. La bonne herbe qui pousse, peu à peu étouffe les ronces disent les sages paysans.

Et surtout, pour nous chrétiens, nous devons penser et croire de toutes nos forces que le Seigneur nous précède en l'autre. C'est d'abord à Lui qu'il faut demander d'agir. Car Lui seul est le SAUVEUR qui peut détruire le mal « à la racine » et faire pousser la vie, sa VIE dans notre vie.

Le furoncle n'était pas mûr,
Seigneur,
je l'ai pressé trop tôt

Le furoncle n'était pas mûr, **Seigneur,**
   je l'ai pressé trop tôt.
Mon malade a souffert,
Et ses chairs sont enflammées,
   mais gardent leur poison.
Il me fallait attendre,
   et doucement soigner.
Attendre que le corps soit prêt,
   et lui-même assez fort pour rejeter le mal.
C'est ainsi **Seigneur,**
   que devant l'autre et les autres,
Ceux qui souffrent en leur cœur d'une source polluée
Je devrais longuement patienter,
   et longuement prier.

   Mais je suis,
   tu le sais
   impatient
   orgueilleux.
Je voudrais sauver mes frères
   avant qu'ils n'y consentent,

et prennent eux-mêmes les armes,
contre le mal en eux.
Et beaucoup plus grave encore,
sûr de mon pouvoir,
fier de mon dévouement,
Je me crois capable seul de guérir le mal
que Toi seul peut guérir.

Donne-moi d'abord **Seigneur**,
le respect de l'autre,
et de sa vie cachée,
en ses longs cheminements.
Ne me permets jamais de m'introduire chez l'étranger
ou même chez mon frère,
si de l'intérieur,
lui-même, il ne m'ouvre sa porte.

Donne-moi le courage, d'attendre,
et de ne point lancer mes mots
en rafales serrées,
vers les fenêtres d'un cœur
qui seulement s'entrouve
Car alors ces mots trop souvent se briseront aux murs,
sans atteindre le cœur.
A moins que quelques-uns,
plus vifs et plus tranchants
ne pénètrent les chairs vivantes,
et les blessent plus cruellement encore.

Apprends-moi **Seigneur**
le silence,
non pas le silence vide,
trop rapidement peuplé de mes folles rêveries

Mais le silence qui attend de l'autre la parole,
    avant de doucement laisser la place aux miennes.

Accorde-moi l'humilité,
    moi qui si souvent me crois riche,
    malgré mes airs modestes.
Sûr de ma bonne volonté,
    de mon savoir *d'éducateur*
    de mon expérience
    de ma générosité
    et même de mon amitié
    et de mon amour tout-puissants.
Riche en face de l'autre,
qui pour moi est un pauvre,
que je dois enrichir de mes larges aumônes.

Aide-moi à me reconnaître pécheur comme lui.
    Devant lui.
    Moi qui me crois pur.
    Moi qui suis satisfait de ma vie
    à mes yeux convenable,
Et si fier de mes petites vertus,
    maigre capital que j'ai reçu,
    beaucoup plus que je ne l'ai gagné.

Apprends-moi enfin **Seigneur,**
à prier devant l'autre,
L'exposant au soleil de ton Amour Sauveur.
    A te prier *en l'autre,*
    Toi qui en lui veux grandir
    et en lui désires pour toujours
    établir ta demeure.

Car moi **Seigneur**,
    je n'ai rien à lui offrir,
    que ton Amour, à Toi,
dans mon pauvre amour, à moi.
    Et ma main simplement,
doucement posée sur la sienne,
    Et mon regard paisible,
comme un veilleur silencieux
au pied du lit d'un malade,
    Et quelques mots, peut-être,
    qui en son cœur pousseront,
si c'est Toi qui sur mes lèvres,
    de nuit les as semés.

Car je ne suis que ton serviteur, **Seigneur**,
Et si je dois prendre mon service,
    Fidèlement,
    Humblement,
    Consciencieusement,
Chaque jour attentif aux malades de l'âme,
    qui croisent mon chemin,
C'est Toi seul, qui peux atteindre le mal,
    en eux,
    en moi,
Mal si profondément enfoui,
que nuls doigts d'hommes qui le pressent,
ne peuvent le faire sortir.
    Puisque Toi seul,
peut chasser les *mauvais esprits*,
    guérir les cœurs,
Et quelquefois les corps en guérissant les cœurs,
    Puisque *Toi seul est le SAUVEUR*,
    et que Tu es venu pour cela.

« *Ne jugez pas et vous ne serez pas jugés* »

...

« *Qu'as-tu à regarder le brin de paille qui est dans l'œil de ton frère alors que tu ne fais pas attention à la poutre qui est dans ton œil ?*

Comment pourras-tu dire à ton frère : « *Laisse-moi enlever le brin de paille de ton œil, alors que tu as une poutre dans le tien* » ?

Comédien ! Enlève d'abord la poutre de ton œil et alors tu verras clair pour enlever la paille de l'œil de ton frère ! »

Matthieu 7, I et 3-4-5

Jésus dit :

« *Voilà le Royaume de Dieu : c'est comme un homme qui jette la semence sur la terre. — Qu'il se couche, qu'il se lève, nuit et jour, la semence germe et pousse. Il ne sait pas comment.*

D'elle-même la terre produit d'abord de l'herbe, ensuite un épi, ensuite plein de blé dans l'épi.

Et quand le fruit est à point, tout de suite, on va chercher la faucille parce que la moisson est prête. »

Marc 4, 26-29

Le monde et l'humanité, devant nous, nous interrogent et nous inquiètent. Nous voudrions pouvoir les découvrir dans toutes leurs dimensions, leur « au-delà ». Mais notre regard n'atteint que la surface des choses et des êtres. Il nous faut un autre regard pour pénétrer plus profondément et voir, comme Dieu voit. Seuls, les « yeux de la foi », c'est-à-dire les yeux de Jésus Christ greffés sur nos yeux d'hommes, peuvent nous apporter sa Lumière et nous permettre ce long pèlerinage.

Nous verrions alors, peu à peu, à travers l'histoire humaine, et dans ses moindres détails, l'Esprit de Jésus au travail et son grand Corps qui naît, se développe, meurt et ressuscite chaque jour. Nous ne contemplerions plus simplement « Jésus de Nazareth » mais le Christ déroulant dans le temps son mystère de Création, d'Incarnation et de Rédemption, et nous pourrions Le rejoindre à travers toute notre vie et celle de nos frères, pour travailler avec Lui et bâtir le Royaume de son Père.

Ouvre mes yeux Seigneur !

Seigneur,
je voudrais que tu me donnes des yeux immenses
      pour regarder le monde !
Car je regarde, **Seigneur.**
J'aime regarder,
      mais mes yeux sont petits,
      trop petits
pour voir *l'au-delà* des choses,
      des hommes et des événements.

Je regarde et devine la vie,
      mais je n'en vois que l'écorce dure,
      et quelquefois sauvage.
L'amour me fait signe,
      mais je n'en contemple
      que quelques fleurs et fruits,
      tandis que la sève m'échappe.
Et je souffre derrière ma vitre épaisse,
      je me heurte à ses limites
      et quelquefois m'y blesse cruellement,
quand de mon cœur s'élève un brouillard
      qui assombrit ma route.

Pourquoi **Seigneur** nous as-tu fait des yeux
qui ne peuvent pas VOIR,
    VOIR ta VIE, au-delà de la vie
ton AMOUR au-delà de l'amour ?

Quelquefois je crois apercevoir... quelques lueurs,
    et mystérieusement,
        naissent alors en mon cœur,
        des mots un peu plus beaux
        que les mots ordinaires,
des mots qui dansent et font la farandole,
cherchant à s'échapper de leur cage dorée.
        De mes lèvres ils s'envolent,
        et je tente de les capturer,
        pour me dire et pour dire,
        ce que je devine...
        pressens...
        approche...
        sans pouvoir le saisir.
Mais les mots à leur tour, sont oiseaux trop petits,
et je leur en veux de ne pas savoir,
        pour moi et pour les autres,
        chanter le chant de l'infini

J'accepte alors, parfois,
de longuement fermer les yeux,
et dans le creux de ma nuit,
        j'entrevois,
un peu de cette Lumière
que le jour obstinément me cache.
        Je VOIS alors sans voir,
        Je CROIS.

Mais tu m'as donné **Seigneur**
des yeux pour regarder mes frères,
 des pieds pour cheminer vers eux,
 et avec eux fouler la terre ferme !
Seigneur, puis-je marcher les yeux fermés
en refusant le jour ?
 Je veux VOIR en regardant,
mais mes yeux sont petits,
 trop petits,
 pour contempler l'au-delà.
Seigneur, donne-moi des yeux immenses
 pour regarder le Monde.

 Ouvre mes yeux **Seigneur,**
 pour que je puisse VOIR...
plus loin que la lumière du soleil levant,
qui tout à coup colore la nature
de la douce clarté d'un visage de jeune fille,
plus loin que la lumière du couchant,
où des morceaux de nuits dessinent sur la terre,
 l'ombre des rides,
comme les ans sur un visage hâlé...
 que je puisse VOIR enfin,
 quelques reflets de ta LUMIÈRE infinie.

 Ouvre mes yeux **Seigneur,**
 pour que je puisse VOIR...
au-delà de la rose rayonnante et de son muet sourire,
au-delà de la main qui me la tend,
et du cœur au-delà de la main,
et de l'amitié bien au-delà du cœur,

... que je puisse VOIR enfin,
quelques reflets de ta TENDRESSE.

Ouvre mes yeux **Seigneur,**
pour que je puisse VOIR...
au-delà des corps d'hommes qui attirent
ou repoussent,
au-delà de leurs yeux et de leurs regards
qui s'allument ou s'éteignent,
les cœurs en peine,
les cœurs en joie.
Et plus loin que les cœurs de chair,
les fleurs d'amour,
et même les herbes folles
qu'on appelle si vite péchés,
... que je puisse VOIR enfin,
les enfants du bon Dieu,
qui naissent et lentement grandissent
sous le regard d'Amour de Notre Père.

Ouvre mes yeux **Seigneur,**
pour que je puisse VOIR...
plus loin que les routes industrielles,
la nuit,
où mille lumières s'échappent des usines en chaleur,
plus loin que les foulards de fumée
qui s'agitent au vent,
en haut des cheminées
pointées vers l'inaccessible ciel,
au-delà de ces inquiétantes beautés,
cités de l'an 2000,
où l'homme sans cesse refait le visage de la terre,

... que je puisse VOIR enfin et ENTENDRE,
battre le cœur de milliers de travailleurs

qui avec TOI achèvent la création.

Ouvre mes yeux **Seigneur,**
   pour que je puisse VOIR...
au-delà de l'inextricable enchevêtrement
des innombrables routes humaines,
   routes qui montent ou qui descendent,
   voies expresses ou voies sans issues,
   feux rouges,
   feux verts,
   sens interdits et vitesses limitées
routes de l'Est, de l'Ouest, du Nord ou du Sud
   chemins qui mènent à Rome,
   à Jérusalem
   ou à La Mecque,
plus loin que les milliards d'hommes qui les parcourent
depuis des milliers d'années
et plus loin que ce prodigieux mystère de leur liberté,
   qui les jette,
   pensant,
   aimant,
   sur ces chemins de vie
   ou s'entrecroise leur destinée,
   ... Que je puisse VOIR
   ton calvaire dressé,
dominant le Monde au Carrefour Central,
   et TOI,
   de ta croix descendu,
parcourant ressuscité tous ces chemins d'Emmaüs
où tant d'hommes te cotoyent sans te reconnaître,
   mais quelques-uns seulement à ta Parole,

et la fraction du pain.

Que je puisse VOIR enfin
ton Grand Corps grandir,
sous le souffle de l'Esprit
et le travail maternel de Marie,
jusqu'au jour où tu te présenteras au Père,
à la fin des temps
quand tu auras,
ô mon Grand Jésus
atteint ta taille adulte

Mais je sais, **Seigneur**, qu'en ce monde,
je dois voir sans VOIR
et que je serai toujours sur cette terre,
pèlerin de l'invisible au cœur insatisfait.

    Je sais aussi que demain seulement
    franchissant les portes de la nuit,
    et TE VOYANT enfin tel que tu es,
    à ta lumière
je VERRAI tel que tu vois (1).

Il faut attendre encore, et marcher dans la pénombre...
Mais si tu le veux **Seigneur**,
    pour que ma prière,
    livrée ici aux nombreux amis
    qui la partageront,
ne soit pas parole de vent sur lèvres de Pierrot de lune,
    je t'en prie,
    je t'en supplie,
Donne-nous des yeux immenses
pour regarder le Monde,

(1) Première Épître de Jean 3-2.

et nous entr'apercevrons un peu de l'au-delà,
et les hommes qui nous regardent,
verront que nous VOYONS
Alors, nous pourrons peut-être enfin leur dire :
C'est Lui, Jésus Christ
la Lumière du Monde.

Les disciples arrivent à Bethsaïde.

On amène à Jésus un aveugle et on insiste pour qu'il le touche.

Jésus saisit l'aveugle par la main et l'emmène hors du village.

Il crache sur ses yeux. Il met ses mains sur lui et lui demande :

— « Vois-tu quelque chose ? »

Et lui, il lève les yeux et dit :

— Je vois les hommes comme des arbres... Je les vois s'avancer. »

Alors de nouveau, Jésus met ses mains sur les yeux de l'homme et il voit clairement et il est rétabli. Il voit tout distinctement.

Marc 8, 22-25

Vivant selon la vérité et dans la charité, nous grandirons de toute manière vers Celui qui est la Tête, le Christ, dont le Corps tout entier reçoit concorde et cohésion par toutes sortes de jointures qui le nourrissent et l'actionnent selon le rôle de chaque partie, opérant ainsi sa croissance et se construisant lui-même, dans la charité.

Épître aux Éphésiens 4, 15-16

De même, en effet, que le corps est un, tout en ayant plusieurs membres, et que tous les membres du corps, en dépit de leur pluralité, ne forment qu'un seul corps, ainsi en est-il du Christ. Aussi bien est-ce en un seul Esprit que nous tous avons été baptisés en un seul corps, Juifs ou Grecs, esclaves ou hommes libres, et tous nous avons été abreuvés d'un seul Esprit.

Première Épître aux Corinthiens 12, 12-13

Jésus, parcourant les routes de Palestine, regardait la vie. Surtout celle des gens simples : la femme qui prépare le pain, et celle qui cherche la pièce perdue ; le blessé agressé sur la route, les enfants qui jouent sur la place et la veuve qui pleure ; le semeur dans son champ, la belle moisson et le berger avec son troupeau... Il regardait, il admirait. Il voyait déjà à travers toute cette vie pousser les germes du Royaume.

Jésus Christ continue aujourd'hui de parcourir nos routes humaines : « je serai avec vous jusqu'à la fin des temps ! » Discrètement il nous fait signe. Il est présent là où se vit le plus petit geste d'amour authentique : « tout amour vient de Dieu » (Première Épître de Jean 4, 7). A nous de Le suivre à la trace à travers ces mille petits riens qui font une existence fertile, s'ils sont nourris de cet amour.

La lessive du lundi

Seigneur,
c'est aujourd'hui lundi.
Je suis sorti, et j'ai vu flottant aux fenêtres
 et sur les balcons,
ici et là, dans le creux du béton,
 mosaïque bigarrée,
 éclatante de couleurs sur le gris des immeubles,
le linge qui séchait.

 Le vent faisait chanter les notes multicolores
 sur la portée des fils,
Et j'ai entendu murmurer à l'oreille de mon cœur,
 la chanson de la peine,
 et celle de l'amour :

 Linge sali,
 Linge lavé,
 Linge séché,
 Linge repassé, et sali de nouveau,
 pour être relavé,
 reséché
 repassé.

Linge pour mon mari,
Linge pour mon fils
Linge pour ma fille,
et le mien entre deux.

Linge de la semaine, jusqu'à l'autre semaine,
De lessive en lessive,
De séchage en séchage,
De repassage en repassage.

Seigneur,
je t'offre ce soir,
pour toutes celles qui ne te connaissent pas,
ou pour toutes celles qui ne pensent pas à te prier,
Ce linge plus blanc,
plus doux,
plus souple.
Ce linge qui sent bon l'amour des mamans,
et celui des épouses.

Je t'offre tous ces gestes quotidiens,
qui mille fois répétés,
tissent de belles vies dans l'ombre,
Merveilleuses vies des humbles,
qui savent qu'aimer c'est durer,
bien au-delà des lassitudes.

Mon petit, l'ai-je dit?
Je te le dis,
et dis-le à tes frères :

« *Le Royaume des cieux est semblable à une femme,*
  qui pendant une vie entière,
  du linge sale en fait du linge propre,
  non par le pouvoir de lessive miracle,
  mais par le miracle de l'amour,
  chaque jour donné »

Jésus leur propose une parabole.

— « Le Royaume de Dieu ressemble à une graine de moutarde que quelqu'un prend et sème dans son champ. C'est la plus petite de toutes les semences mais quand elle pousse, elle est plus grande que les légumes et devient un arbre si bien que les oiseaux du ciel viennent faire leurs nids dans ses branches. »

Il leur dit une autre parabole.

— « Le Royaume de Dieu ressemble à du levain qu'une femme prend et enfouit dans trente-six kilos de farine jusqu'à ce que tout lève... »

Matthieu 13, 31-33

Voici un juriste qui se lève pour mettre Jésus dans l'embarras. Il lui dit :

— « Maître, que faire pour hériter de la vie qui ne finit pas ? »

Jésus lui dit :

— « Qu'y a-t-il d'écrit dans la Loi ? Comment l'interprètes tu ? »

Il répond :

— « Tu aimeras le Seigneur, ton Dieu, de tout ton cœur, de tout ton être, de toute ta vigueur, de toute ta pensée et celui qui t'est proche comme toi-même. »

Luc 10, 25-27

Beaucoup de militants sont fatigués. Ils se sont heurtés à tant et tant de difficultés et d'incompréhensions qu'ils souhaitent prendre du recul, voire se reposer.

Des jeunes, d'autre part, proclament qu'ils ne referont pas ce que leurs pères ont fait. Ils veulent prendre le temps de vivre, pour eux.

Enfin, certains « engagés » dans le monde pensent même qu'ils se sont peut-être trompés de route, qu'ils devraient prier davantage et... « laisser Dieu agir ».

C'est grave. Très grave. Dieu ne nous a pas donné un homme, une humanité, un monde tout fait, mais à faire, par nous. Sous aucun prétexte un chrétien ne peut se retirer sous sa tente et refuser cette tâche. Plus que d'autres il doit, selon ses moyens, s'y consacrer. C'est le critère incontournable de l'authenticité de son amour pour ses frères.

Avoir une foi vivante, ce n'est pas s'évader du chantier pour demander à Dieu d'accomplir notre travail, mais s'y employer nous-même de toutes nos forces, en Le suppliant de travailler avec nous.

Ce serait si facile Seigneur...

Ce serait si facile **Seigneur,**
d'abandonner la lutte pour un monde meilleur...
   Ce monde qui n'en finit pas de naître !
   Ce serait si facile
de renoncer aux réunions épuisantes,
   aux discussions,
   aux comptes rendus,
à ces innombrables *actions* et ces *engagements*
   qu'on dit indispensables,
et dont certains soirs de lassitude extrême,
   je doute de plus en plus
   qu'elles servent à mes frères

   Ce serait si facile
d'écouter ces voix autour de moi,
Voix qui se disent sages, amicales,
   voire même affectueuses,
Voix qui s'expriment devant moi :
   « *tu t'agites* »
   « *tu te bats en vain* »
   « *tu passes à côté de l'essentiel* »
Voix qui murmurent insidieusement derrière moi :

« il aime ça »
« c'est dans son tempérament »
« il ne peut pas s'en passer »

Ce serait si facile
de céder au découragement,
et de l'habiller de bonnes et pieuses intentions,
Celles des devoirs oubliés,
et des manques de foi.

Ce serait si facile alors,
de me retirer en ma maison,
de retrouver mes soirées libres
et mes week-ends disponibles,
et le rire des enfants,
et les bras de ma femme.

Ce serait si facile de m'asseoir,
et de panser les plaies après les trop dures batailles,
de reposer mes jambes,
mes bras, ma tête,
et mon cœur, fatigués,
et d'accueillir la paix loin du vacarme des combats,
et d'écouter enfin le silence,
où loin du bruit, dit-on,
tu parles aux *fidèles*.

Ce serait plus facile **Seigneur**,
de rester sur la rive et de ne point se salir,
de regarder les autres se battre et se débattre,
de les conseiller et de les plaindre,
de les juger... et de prier pour eux,
Ce serait plus facile...

Mais **Seigneur,**
est-ce vraiment ce que tu me demandes ?
Je ne sais plus.
Je ne sais plus.

Seigneur, éclaire-moi, aide-moi,
Je ne sais plus,
Car dans le concert des voix qui me parviennent,
celles des sages,
celles des amis,
et celles de mes chéris,
J'entends souvent une autre voix,
plus grave et plus profonde,
qui m'interpelle, tenace,
en mon cœur troublé :
« *Tu prends la place du Seigneur.*
Lui seul peut changer les hommes et le monde.
Abandonne-toi à Lui,
et Il fera ce que toi,
malheureux orgueilleux,
tu croyais pouvoir faire »

Cette voix **Seigneur,** est-ce la tienne ?
Je ne sais plus.
Je ne sais plus.
... Mais si Tu le veux vraiment, ce soir,
je démissionne entre tes mains !

Je refuse ta démission mon petit, dit le Seigneur.
N'écoute pas tes voix,
elles ne sont pas de Moi.
Jamais je ne prendrai ta place,

car c'est Moi qui te l'ai donnée.

52 *Rien ne se fera sans toi* et sans tes frères,
car je vous ai voulus ensemble responsables,
et de l'homme et du monde.
Mais rien ne se fera sans Moi...
et c'est cela peut-être
que tu as quelquefois, oublié !

Va maintenant, dors en paix mon petit,
et demain,
Toi et Moi,
Moi et toi,
ensemble,
en frères avec tes frères,
Nous repartirons au combat.

Arrivent sa mère et ses frères. Ils sont dehors et le font appeler.

Une foule est assise autour de Jésus. On lui dit :

— « Regarde, il y a ta mère, tes frères et tes sœurs, dehors. Ils te cherchent ».

Jésus leur réplique :

— « Qui est ma mère ? Et mes frères ? »

Il promène son regard sur ceux qui sont assis en cercle autour de lui et dit :

— « Sachez que ma mère et mes frères, c'est celui qui fait la volonté de Dieu. C'est celui-là mon frère et ma sœur et ma mère. »

Marc 3, 31-35

« Ce n'est pas en me disant « Seigneur, Seigneur » qu'on entrera dans le Royaume de Dieu mais en faisant la volonté de mon Père qui est Dieu. »

Matthieu 7, 21

Jésus Christ nous attend, fidèlement, au cœur de notre vie. Or, nous avons trop souvent l'impression que pour Le prier, il nous faut nous arrêter, cesser toute activité, pour n'être que tout à Lui. Certes nous le devons à certains moments. « Être là » pour quelqu'un, sans même « faire quelque chose » pour lui, ou avec lui, mais lui offrir simplement le cadeau de dix minutes, un quart d'heure de notre vie, gratuitement, c'est le sommet de l'amour. Mais nous devons aussi accompagner Jésus sur les routes du monde. Toute notre vie pourrait devenir « prière » si nous pensions qu'Il est venu parmi nous, non pour se mettre habituellement à l'écart, mais pour se mêler à toute « la pâte » de notre vie et celle de nos frères pour la faire lever.

Seigneur,
viens-tu faire les courses avec moi ?

Il fallait que je sorte faire ces courses nécessaires,
    mais une fois de plus,
    je regrettais le temps dépensé
    que je croyais gaspillé.
Ô ce temps tyrannique,
    époux imposé,
compagnon implacable de mes journées et de mes ans,
    qui fractionne ma vie,
    me presse et me commande,
    m'obligeant à courir,
    lui qui court si vite !
Ne suis-je pas son esclave ?

Mais ce matin, tu m'as fait signe, **Seigneur,**
me rappelant que tu étais là.
    Disponible,
    paisible,
    IMMOBILE.
Alors j'ai décidé de maîtriser le temps,
    de prendre mon temps,
en abandonnant la voiture et en sortant à pied.
Et je t'ai dit, Seigneur :
« Viens-tu faire les courses avec moi ? »

Ensemble nous les avons faites,
et je veux ce soir te remercier de m'avoir accompagné,
car j'ai *vu* ce que sans Toi,
je n'aurais pas même aperçu.
J'ai vu la vie qui coulait à flot
dans les rues de mon quartier,
les voitures qui roulent
et les chauffeurs qui s'impatientent,
les gens pressés
et ceux qui flânent.
J'ai vu la maman en colère
qui traîne son enfant en larmes,
et celle qui,
quelques instants s'arrête,
pour sourire et parler à son bébé,
le chômeur qui mendie,
et la dame qui promène son mignon petit chien,
les jeunes qui s'embrassent
et les gamins qui crient et se battent
en sortant de l'école.
J'ai vu les devantures des magasins,
accueillantes,
aguichantes,
et les regards d'envie qui percent les vitres,
pour caresser mille objets de paradis terrestre,
les affiches qui chantent les plaisirs de vivre,
et celles qui annoncent la lutte
de ceux qui veulent survivre.

Et je te disais :
Regarde, **Seigneur**,
tu vois celui-ci,

tu vois celui-là,
dis-leur que tu les aimes,
   ô oui dis-leur,
eux qui vivent sans penser que tu les accompagnes,
   pas à pas,
    chaque jour.
Et moi, tu me prêtais, **Seigneur,** ton regard,
et je les *voyais* un peu comme Toi,
   tu les vois.

Je voyais leurs joies, leurs peines,
    au-delà de leurs regards
    et du bruissement de leurs pas,
Je voyais ta Vie dans leur vie,
    ton Amour dans leurs amours,
    malgré leur ignorance
    et peut-être même leur refus.
Je les voyais, par Toi, frères et sœurs,
appelés à dire ensemble, un jour :
« *Notre Père qui êtes aux cieux* ».
Certains moments
    je ne pensais plus que Tu étais là...
Ce n'est pas de ma faute, **Seigneur,**
tu es si souvent silencieux !
Tu sais que je te le reproche,
    et que j'en souffre,
    ô combien !

Mais heureusement maintenant
je suis sûr que les amours les plus fortes
    ne sont pas les plus bruyantes
et *je crois en ton Amour.*

Je suis rentré heureux,
    j'avais vaincu le temps,
    je n'avais pas perdu mon temps,
Et tu étais heureux,
    toi aussi,
    j'en suis sûr,
Car de grands esprits nous disent, **Seigneur,**
    qu'il faut pour te prier,
    s'arrêter,
    s'isoler,
    se mettre à genoux ou se tenir bien droit,
    les bras ici,
    et les mains là,
clore les yeux pour mieux Te voir,
les oreilles pour mieux T'entendre,
    et commencer par...
    et continuer par...
    et terminer par...
Mais ils oublient de dire, **Seigneur,**
qu'il faut de temps en temps sortir
pour faire les courses avec toi,
    et regarder le monde,
    et regarder les hommes,
    et regarder la vie,
Pour cueillir les joies de tous
    et leurs secrètes peines,
Et te les donner à porter,
Toi qui veux bien porter les fardeaux les plus lourds
    tandis qu'à nous,
    tu réserves les colis plus légers.

Ô, Seigneur,
toi qui as redonné la vue aux aveugles

et l'ouïe aux sourds,
Je t'en supplie, une fois de plus,
    ouvre-moi les yeux,
    ouvre-moi les oreilles,
Je suis si souvent tenté de sur moi les fermer
Et quand je sortirai faire mes courses de corps,
Avec Toi,
    je ferai mes courses de cœur.
En rentrant je serai riche,
    non pas de ce que j'aurai acheté,
    mais de ce que j'aurai regardé,
    accueilli,
    porté.
Le soir, j'ouvrirai mon sac devant notre Père,
    pour lui offrir mes commissions de vie,
Et — pardonne-moi **Seigneur** —
    si je découvre quelques fruits gâtés,
    qu'au passage pour moi j'aurai ravi,
    les croyant comestibles,
A toi je les donnerai,
Et *tu les brûleras à ton Amour.*

Jésus parcourt toutes les villes et les villages.
Il enseigne dans les synagogues.
Il clame « l'Évangile du Royaume ».
Et il guérit toute maladie et toute déprime.
En voyant ces foules, il en est tout bouleversé parce qu'ils sont
fatigués et laissés à l'abandon comme des moutons sans berger.
Alors il dit à ses disciples :
— « Il y a une moisson abondante mais les ouvriers sont
rares.
Demandez donc au propriétaire de la moisson d'envoyer des
ouvriers à sa moisson ».

Matthieu 9, 35-38

De nouveau Jésus parle...
Il dit :
— « Je Suis la lumière du monde.
Celui qui vient avec moi n'avance pas dans le noir. Oui, il a
la lumière de la vie ».

Jean 8, 12

Le « sac à dos » de notre cœur est souvent rempli de souvenirs pénibles, de souffrances, de péchés, que nous avons ramassés sur les routes de notre vie et que nous traînons avec nous. Petites souffrances ou grandes épreuves, quelquefois même lourds secrets que nous croyions à jamais enfermés.

Nous tentons « d'oublier », par vertu : « Il ne faut pas s'attacher au passé ! », ou pour avoir la paix : « Je ne veux plus y penser ! ». Nous « refoulons ». Or, tout ce qui a été vécu demeure en nous, et continue de vivre, même si nos efforts ont réussi à repousser nos souvenirs jusque dans l'inconscient.

La vie enfermée en nous pourrit, agit sur nos comportements et même... nous rend malade.

Chrétiens, nous sommes comme un enfant qui veut porter tout seul des fardeaux qu'il peut à peine soulever. Son père l'accompagne, il marche à ses côtés. Mais l'enfant refuse l'aide qui lui est proposée. Il peine, souffre, quelquefois tombe et se blesse cruellement.

Notre père est Dieu. En son fils Jésus Christ, il est venu « porter » nos souffrances, nos péchés... Mais il faut les lui donner. Et pour les donner, il ne faut d'abord pas les « oublier » mais avoir le courage de les déterrer, de les regarder en face, et de les accepter. C'est à ce prix que nous serons libres, et vivant de notre vie par Jésus ressuscité.

Je porte trop lourd Seigneur,
ça ne pouvait pas durer

Je porte trop lourd **Seigneur**,
    Ça ne pouvait pas durer !
Mais ce soir je crois enfin avoir trouvé,
    ce que depuis longtemps,
    tu attendais de moi.

Mon chemin de vie, n'est pas très long, **Seigneur,**
    mais mon passé chargé.
J'ai tant reçu de coups sur mes routes quotidiennes
    Et tant vécu d'événements,
    qui m'ont fait mal,
    m'ont révolté,
Ou bien inscrit dans mon âme des remords tenaces,
Que les souffrances se sont accumulées
    en mon cœur trop grand.
    Les greniers en sont pleins,
    et les caves remplies.
Et tout au fond, comme un cadavre enterré,
    Ce lourd secret...
— Le mien ou celui d'un être cher —
    Mille fois piétiné,
    Mille fois recouvert,

Mais qui bouge toujours,
        au moment ou enfin, je le crois à jamais terrassé.

Je porte trop lourd **Seigneur**,
        Ça ne pouvait pas durer !

Je *porte trop lourd*
        et j'en ai mal au dos.
Je me *fais de la bile*
        et j'en ai mal au foie.
Je ne *peux pas digérer* ces épreuves
        et j'en ai mal à l'estomac.

Et tous ces événements **Seigneur**,
        Qui *me coupent l'appétit*
        Qui me font *faire du mauvais sang*
        Qui me *paralysent*
        Qui me donnent *mal au ventre*
        Qui me rendent *sourd* ou *m'aveuglent*...
Tous ces *maux au cœur*
qui me font *mal au corps*
        Et me laissent affaibli,
        Déprimé,
        M'empêchent de dormir...
        et de me réveiller...
Seigneur, il fallait m'en délivrer,
        Car je porte trop lourd,
        Ça ne pouvait pas durer.

J'ai tout essayé...
        En vain.

On m'a dit **Seigneur**
que les petites souffrances très vite s'évanouissent

Et que les grandes douleurs,
avec le temps s'estompent.
Qu'il fallait *être courageux* et *ne plus y penser*
Car *le passé est passé* et doit être *oublié*.
Et j'ai lutté, tu le sais.
J'ai maintes fois tenté de *tourner la page*
pour ne plus *regarder*
Mais d'un coup de vent chaque fois s'est rouvert,
L'album de photos de mes souvenirs anciens.

J'ai tenté de cicatriser mes blessures,
de mille baumes conseillés.
Belles idées,
beaux sentiments,
Et même grands élans de foi et de prières répétées.
Mais au moindre choc de la vie,
les plaies se sont rouvertes.
Elles ont saigné.
Il fallait tout recommencer !

J'ai cru pendant un temps, enfin y parvenir.
Orgueilleusement j'ai dit : « *C'est fait* »,
car *j'ai tout accepté et je n'y pense plus...*
Mais les souvenirs et les souffrances enterrées,
en moi *vivaient* toujours.
Comme plantes sauvages,
leurs racines demeurent,
et quand je tente d'arracher,
leurs feuilles et leurs fruits,
vigoureuses elles repoussent
dans le champ de mon cœur.
Mes larmes les arrosent.
Elles se développent.

Elles m'envahissent.
M'étouffent.
Mangent ma vie,
me laissent déprimé,
Et pénètrent même entre les pierres
de mes fondations,
murs épais,
que je croyais solides,
mais qui brutalement,
par pans entiers s'écroulent.

Et pourtant **Seigneur**,
quelquefois je me crois libéré.
Je n'ai plus de souvenirs douloureux... !
Je peux enfin *dormir*.
Mais la nuit hélas,
mon corps brutalement s'agite,
car les fantômes de ces souvenirs
sortent de leurs cachettes,
et déguisés de mille et folles façons,
en mes rêves ou mes cauchemars
dansent leurs farandoles.
Je me réveille fatigué.
Je me lève épuisé.

Je porte trop lourd **Seigneur**
Ça ne pouvait pas durer.

Mais ce soir...
Est-ce que je rêve **Seigneur** ?
Je crois enfin avoir trouvé,
ce que depuis longtemps Tu attendais de moi.

Car j'ai lu par hasard,
cette phrase de psaume,
imprimée sur une image pieuse :
« *Jette ton souci dans le Seigneur,*
Et Lui-même te soutiendra » (Psaume 4)
Et je crois qu'à travers ces mots,
C'est toi qui m'as parlé.

Ô **Seigneur** pardon,
pour tout ce temps perdu
Pour ces mille souffrances,
Et ces découragements,
Pour ces sinistres plaintes
Et ces folles révoltes
A cause de cette vie *enfermée,*
Refoulée
Gaspillée
Qui en mon cœur pourrissait,
Fumier privilégié de mes mauvaises herbes.

Ô **Seigneur** pardon, car Tu étais là,
Tu m'attendais pour porter avec moi,
... et porter le plus lourd,
Comme un père qui aide son petit enfant,
Et entre les mains lui laisse seulement,
Juste ce qu'il peut soulever.
Mais je ne Te voyais pas
car je regardais mes souffrances.
Je ne T'entendais pas,
car j'écoutais le bruit de mes larmes,
et seul,
orgueilleusement,
je voulais tout garder.

Ô **Seigneur** pardon, car Tu étais là.

Tu m'attendais pour me prendre en tes bras.
>   Me soulever,
>   Me porter,
en même temps que porter mes bagages.

Mais il fallait **Seigneur**,
Que j'accepte enfin d'avoir vécu tout ce que j'ai vécu
Et que librement je te *le donne*
Car Tu ne prends pas de force
Ce que l'on ne veut pas Te donner.

Me voici enfin,
Devant Toi, **Seigneur**,
>   à bout de souffle,
>   à bout de vie.
Je veux Te donner TOUT.
>   ... Mais·sans Toi, **Seigneur**,
>   je le sais,
>   Je ne pourrai y parvenir.

Aide-moi **Seigneur**, je T'en supplie,
Car il me faudra beaucoup de temps
pour tout déraciner,
>   mais sans rien arracher
Beaucoup d'efforts pour tout déménager,
>   mais sans rien garder,
>   de ce que malgré tout je voudrais conserver
Beaucoup d'humilité pour tout révéler
>   de ce que je voulais cacher.
Il me faudra beaucoup de temps
pour m'habituer à Te donner chaque jour,

Toutes les petites et lourdes pierres de mon chemin,
    Celles sur lesquelles je bute,
    Celles que l'on m'envoie
    par insouciance ou méchanceté.
    Celles que je lance aux autres,
    et qui sur moi reviennent.

Aide-moi **Seigneur**,
Devant les difficultés de ma vie,
    celles d'hier
    et celles d'aujourd'hui
A regarder sans crainte,
    plutôt qu'à détourner les yeux
A déterrer,
    plutôt qu'à enterrer
A oser me souvenir,
    plutôt qu'à tenter d'oublier
Et même, à sentir et ressentir ce que j'ai éprouvé,
    plutôt qu'à refouler.
Car je ne pourrai Te donner,
Que ce à quoi *je consens*,
    ce que je tiens entre mes mains tremblantes,
    et que *Toi*,
    tu attends pour toujours m'en libérer.

Je portais trop lourd, **Seigneur**,
    Ça ne pouvait pas durer...
    Mais Tu m'as invité,
A *vider chaque soir le sac de mon cœur.*
    Alors je serai,
Comme le petit enfant dans les bras de son père,
    dans les bras de sa mère,

Qui a *tout dit* de ses peines
Et qui s'endort en paix,
   parce qu'il se sait aimé
   et que l'amour de ses parents
   est plus fort que tout.

« *Jette ton souci dans le Seigneur, et Lui-même te soutiendra.* »

Psaume 54

« *Entre tes mains Seigneur, je remets mon esprit :*
Tu me délivreras, Dieu fidèle. »

Psaume 30

Venez à moi, vous tous qui travaillez dur et vous qui êtes
toujours chargés d'un fardeau et moi je vous donnerai le repos.
Prenez sur vous mon joug : mettez-vous à mon école parce
que je suis doux et humble jusqu'au fond du cœur. Et vous
trouverez repos pour vos vies.

Matthieu II, 28-29

« *Je me taisais et mes forces s'épuisaient à gémir tout le jour.*
Ta main, le jour et la nuit pesait sur moi ;
Ma vigueur se desséchait comme l'herbe en été,
Je t'ai fait connaître ma faute, je n'ai pas caché mes torts
J'ai dit : je rendrai grâce au Seigneur, en confessant mes péchés
Et toi, tu as enlevé, l'offense de ma faute »

Psaume 31

« *En paix, à peine je suis couché que je m'endors,*
Car Toi seul Seigneur me mets en sécurité »

Psaume 4

Beaucoup de croyants sincères mais ignorants ou naïfs, ont caricaturé le visage de Dieu. Cette caricature, les hommes autour de nous de plus en plus la refusent. Ils ont raison. C'est un faux dieu.

Mais pour nous, qui est Dieu ? Le tout-puissant à la façon des hommes ou le tout-puissant de l'Amour ?

Dans le premier cas, et sous prétexte de foi, nous risquons de nous désengager : c'est Dieu qui fait tout, « laissons-lui la place ! ». Plus grave, nous risquons de structurer peu à peu une religion de servitude et de crainte. Il faut gagner « les bonnes grâces » de Dieu, obéir pour éviter les punitions et surtout le châtiment éternel. Plus grave encore, nous entraînons Dieu dans des voies sans issues, le faisant devenir responsable ou complice des morts injustes et des souffrances de toutes sortes qui écrasent l'humanité.

Dans le deuxième cas, nous essayons pas à pas, de vivre notre vie comme une réponse d'amour à l'Amour, qui toujours se propose, mais jamais ne s'impose. Nous découvrons alors émerveillés, jusqu'à quel point nous sommes libres en face de Dieu, responsables de notre vie, de celle de nos frères et du monde.

L'essentiel de la foi, c'est croire que nous sommes aimés infiniment. Si nous accueillons cet Amour, alors notre comportement change totalement. Nous sommes « recréés » et de serviteurs devenons enfants libres d'un Père « adorable ». Et de ce Père, nous tentons « par amour » et non « par devoir » de combler tous les désirs.

Mon Dieu
je ne crois pas...

Mon Dieu, je ne crois pas,
Que tu fais tomber la pluie ou briller le soleil,
  à la carte,
  à la demande,
pour que pousse le blé du paysan chrétien,
ou réussisse la kermesse de Monsieur le Curé.
Que tu trouves du travail au chômeur *bien pensant*
  et laisses les autres chercher,
  et ne jamais trouver,
Que tu protèges de l'accident
l'enfant dont la mère a prié
  et laisses tuer le petit
  qui n'a pas de maman pour implorer le ciel,
Que tu donnes toi-même à manger aux hommes,
  quand nous le demandons,
  et les laisses mourir de faim,
  quand nous cessons de supplier.

Mon Dieu, je ne crois pas,
Que tu nous *conduis* là où tu *veux*
  et que nous n'avons qu'à nous laisser guider,
Que tu nous *envoies* cette épreuve

et que nous n'avons qu'à l'accepter,

Que tu nous offres ce succès,
       et que nous n'avons qu'à te remercier,
Que lorsque tu le décides, enfin, tu *rappelles à toi*
       celui que nous aimons
       et que nous n'avons qu'à nous *résigner*

       Non mon Dieu, je ne crois pas,
Que tu es un *dictateur*
       possédant *tous les pouvoirs,*
       imposant ta *volonté,*
       pour *le bien de ton peuple*
Que nous sommes des marionnettes,
       dont à ta guise,
       tu tires les ficelles
Et que tu nous fais jouer un mystérieux scénario,
       dont tu as fixé depuis toujours
       les moindres détails de la mise en scène.
Non, je ne le crois pas,
       je ne le crois plus,
Car je sais maintenant, ô mon Dieu
       que tu *ne le veux pas,*
       et que tu *ne le peux pas,*
Parce que tu es AMOUR
Parce que tu es PÈRE,
       et que nous sommes tes enfants.

       O mon Dieu pardon,
Car trop longtemps nous avons défiguré ton adorable
Visage
Nous avons cru qu'il fallait
pour te connaître et te comprendre,
       t'imaginer paré à l'infini

du pouvoir et de la puissance,
qu'à la façon des hommes trop souvent nous rêvons.
Nous avons usé de mots justes
   pour penser à toi et parler de toi
mais en nos cœurs fermés ces mots sont devenus
pièges,
   Et nous avons traduit :
   toute puissance,
   volonté,
   commandement,
   obéissance,
   jugement...
en notre langage d'hommes orgueilleux
rêvant de dominer nos frères
Nous t'avons alors attribué,
   punitions,
   souffrances et morts,
   alors que tu as voulu pour nous,
   le pardon,
   le bonheur et la vie.

   O mon Dieu, oui, pardon,
Car nous n'avons pas osé croire, que par amour,
   tu nous as depuis toujours voulus LIBRES
Non pas seulement libres de dire oui ou non
   à ce que pour nous d'avance tu as décidé,
   mais libres de réfléchir,
   choisir,
   agir,
   à chaque instant de notre vie.

Nous n'avons pas osé croire
que tu as tellement voulu cette liberté

Que tu as risqué, le péché,
    le mal,
    la souffrance
    fruits gâtés de notre liberté dévoyée
    horrible passion de ton amour bafoué
Que tu as risqué alors de perdre
aux yeux de beaucoup de tes fils
    ton auréole de bonté infinie
    et la gloire de ta *toute-puissance*.

Nous n'avons pas osé comprendre, enfin,
Que lorsque tu as voulu à nos yeux définitivement te
révéler
    Tu es venu sur cette terre,
    petit,
    faible,
    Nu.
Et que tu es mort attaché sur une croix,
    abandonné,
    impuissant
    Nu.
Pour signifier au monde que ta seule puissance,
est *la Puissance infinie de l'Amour,*
Amour qui nous *libère,*
    pour que nous puissions aimer.

O mon Dieu, je sais maintenant que tu peux tout
    ... *sauf nous ôter la liberté !*

Merci mon Dieu, pour cette belle et effrayante liberté
    cadeau suprême de ton amour infini.
    Nous sommes libres !
    Libres !

Libres de conquérir peu à peu la nature pour la mettre
        au service de nos frères,
Ou libres de la dé-naturer
        en l'exploitant à notre seul profit
Libres de défendre et développer la vie,
        de combattre toutes souffrances
        et toutes maladies,
Ou libres de gaspiller intelligence, énergie, argent,
        pour fabriquer des armes,
        et tous nous entre-tuer.
Libres de te donner des fils ou de te les refuser,
De nous organiser pour partager nos richesses,
Ou de laisser des millions d'hommes
mourir de faim sur la terre fertile.
Libres d'aimer
        Ou libres de haïr.
Libres de te suivre
        Ou de te refuser

Nous sommes libres...
    mais *aimés INFINIMENT*

        Mon Dieu, je crois alors,
Que parce que tu nous aimes et que tu es notre Père,
Depuis toujours tu rêves pour nous d'un bonheur
éternel,
        que sans cesse tu nous proposes
        mais jamais nous imposes.

Je crois que ton Esprit d'amour
        au cœur de notre vie,
        chaque jour nous souffle fidèlement,
        les *désirs* de ton Père.

Et je crois qu'au milieu de l'immense enchevêtrement
    des libertés humaines,
    Les événements qui nous atteignent,
    Ceux que nous avons choisis,
    Et ceux que nous n'avons pas choisis,
    Qu'ils soient bons ou mauvais,
Sources de joies ou de cruelles souffrances,
    Peuvent *tous*,
Grâce à ton Esprit qui nous accompagne
Grâce à Toi qui nous aimes en ton Fils
Grâce à notre liberté s'ouvrant à ton AMOUR
    Devenir par nous et pour nous,
    chaque fois providentiels

    O mon grand Dieu aimant,
Devant moi si humble, si discret,
    que je ne pourrai atteindre et comprendre
    qu'en étant tout petit,
Donne-moi de croire de toutes mes forces,
    à ta seule « *Toute-Puissance* » :
    La Toute-Puissance de ton AMOUR.
Je pourrai alors un jour, avec mes frères réunis,
Fier d'avoir tenu ma place d'homme libre,
    Débordant de bonheur,
    T'entendre dire :
    « *Va mon enfant, ta foi t'a sauvé* ».

Il nous a choisis dans le Christ,
avant que le monde fût créé,
pour être saints et sans péchés, devant sa face, grâce à son
  amour.
Il nous a prédestinés
    à être, pour lui, des fils adoptifs
par Jésus Christ.
Ainsi l'a voulu sa bonté,
    à la louange de gloire de sa grâce,
la grâce qu'il nous a faite
        dans le Fils bien-aimé.

Épître aux Éphésiens I, 4-6

Celui qui n'aime pas n'a pas connu Dieu,
car Dieu est Amour.
En ceci s'est manifesté l'amour de Dieu pour nous :
Dieu a envoyé son Fils unique dans le monde
afin que nous vivions par lui.
En ceci consiste l'amour :
ce n'est pas nous qui avons aimé Dieu,
mais c'est lui qui nous a aimés
et qui a envoyé son Fils.

Première Épître de Jean 4, 8-10

Toute créature naît, vit et meurt. Ainsi Dieu l'a voulu. Mais nous devrions tous mourir de mort « naturelle »... au bout de notre vie. Les morts prématurées, par accident ou maladie, ne sont pas le fait de Dieu, de sa « volonté », pas plus que celui du « hasard ».

Les accidents sont pour la plupart les conséquences douloureuses de notre liberté. Nous ne pourrons que dans la lumière de Dieu découvrir quelle est la part de notre responsabilité et celle de nos frères dans l'immense enchevêtrement des actes que nous posons. De nombreux « accidents » seraient évités si nous vivions comme Jésus nous a demandé de vivre.

Beaucoup de maladies demeurent invaincues. Elles sont le fruit de la nature que nous n'avons pas encore dominée, maîtrisée. C'est notre tâche d'homme d'y parvenir. Dieu, qui nous a confié la terre pour la conquérir et la mettre au service de l'homme, nous fait confiance. Sauf exception, il ne prend pas notre place en accomplissant des « miracles ». C'est aux chercheurs, médecins etc. de lutter. Mais hélas, nous nous donnons nous-mêmes beaucoup de maladies en vivant mal en notre corps et plus encore en notre cœur, et trop souvent nous consacrons beaucoup plus d'argent, d'intelligence, d'énergie, à inventer des moyens pour tuer, que de trouver et mettre en œuvre des moyens pour défendre et développer la vie.

Heureusement, Dieu ne nous laisse pas seuls, il est venu en Jésus Christ se battre avec nous. Dans notre combat il nous offre la Force toute-puissante de son Amour, et la souffrance elle-même qui est et demeure un mal peut être, par Lui, l'occasion d'un surcroît d'amour sauveur.

Mon ami est mort cette nuit, Seigneur...

Mon ami est mort cette nuit, **Seigneur,**
    A bout de souffle
    A bout de vie
Luttant contre le cancer,
jusqu'au dernier instant,
Avec sa famille et ses amis médecins.

Je ne dis pas **Seigneur :**
puisque tu l'as voulu, que soit faite ta volonté
Et moins encore ta *sainte* volonté.
    Mais je te dis, tout bas...
      tout bas car beaucoup hélas,
      autour de moi jamais ne comprendraient
Je te dis Seigneur, mon ami est mort...
      et tu n'y pouvais rien.
Rien de ce que follement je rêvais.
Rien de ce que follement j'espérais.
    Et je pleure.
    Déchiré,
    Amputé,
    Mais mon cœur est en paix,

Car j'ai compris un peu plus ce matin,
qu'*avec moi Tu pleurais*.

Oui **Seigneur**, j'ai compris...
Grâce à Toi,
Grâce à mon ami,
Mais aide-moi je t'en prie à *le croire*
Que tu ne veux pas la mort,
mais la vie,
Et que plus que nous tous,
parce que tu aimes davantage,
Tu souffres de voir mourir avant l'âge,
beaucoup de tes enfants.

J'ai compris que sauf rares exceptions,
et c'est là ton mystère
Dans les batailles livrées contre les maladies,
par respect, par amour
Jamais tu ne voulais nous prendre notre place,
Mais toujours nous offrais de souffrir
et de lutter avec nous.

J'ai compris...
Car mon ami, **Seigneur**
ne t'a pas réclamé de *miracle*
mais demandé pour ses amis médecins,
la force de chercher,
et jusqu'au bout lutter.

Il a imploré pour lui,
le courage de souffrir,
D'accepter les deux opérations,

les traitements et toutes les *expériences*
Pour que d'autres après lui,
puissent souffrir moins,
Et même un jour guérissent

Il n'a pas demandé pour les siens,
la grâce de se *résigner*
Mais celle de défendre la vie,
de la respecter
de la développer
Et jusqu'au bout bercé par la musique qu'il aimait,
pour tous a demandé...
la Joie de vivre.

Mon ami **Seigneur** n'a pas *offert sa souffrance*
Car la souffrance disait-il *est un mal,*
Et Dieu n'aime pas la souffrance.
Il a offert son long et douloureux *combat*
contre la souffrance.
Cette énergie prodigieuse,
cette Force sortie de lui,
grâce à Toi Seigneur,
Ce supplément d'amour et de foi nécessaires,
pour ne pas désespérer
mais croire que cette vie,
par Toi ressuscite,
au-delà de la mort.

Mon ami enfin, **Seigneur,**
n'a pas *donné* sa souffrance,
Mais comme Toi,
avec Toi,
Ô mon Jésus Sauveur,

il a donné *sa vie*, pour que nous,
   Nous vivions.

Mon ami est mort cette nuit, **Seigneur,**
   et je pleure,
   Mais mon cœur est en paix,
Car mon ami est mort cette nuit,
   Mais avec Toi,
   il m'a donné la vie.

« Dieu dit : faisons l'homme à notre image, comme notre ressemblance et qu'il domine sur les poissons de la mer, sur les oiseaux des cieux, sur le bétail et sur toute la terre, et sur tous les reptiles qui rampent sur le sol. »

Genèse I, 26

« La création en attente, aspire à la révélation des fils de Dieu. Elle a l'espérance d'être elle aussi, libérée de la servitude de la corruption pour entrer dans la liberté de la gloire des enfants de Dieu. Nous le savons, en effet, toute la création, jusqu'à ce jour, gémit en travail d'enfantement. »

Épître aux Romains 8, 19-22

Marthe dit à Jésus :

— « Seigneur, si tu avais été là, il ne serait pas mort, mon frère.

— Mais maintenant encore, je sais que tout ce que tu demanderas à Dieu, Dieu te l'accordera. »

Jésus lui dit :

— « Il se relèvera, ton frère ! »

Marthe lui dit :

— « Je sais qu'il se lèvera, au dernier Jour quand on se relèvera tous ! »

Jésus lui dit :

— « Je Suis celui qui fait se lever et qui fait vivre. Celui qui a foi en moi, même s'il meurt, il vivra.

Et tout homme qui vit par moi et a foi en moi, il n'y a pas de danger qu'il meure. Jamais. Y crois-tu ? »

Jean II, 21-26

Beaucoup de jeunes ont peur de l'avenir surtout de leur avenir professionnel et familial. Ils ne savent pas quelles routes ils prendront et où les mèneront ces routes inconnues. Certains sont angoissés et refusent de grandir pour éviter de choisir.

La peur est malsaine. Elle paralyse. La grandeur de l'homme c'est d'être capable de « risquer sa vie » après avoir réfléchi bien sûr, mais sans attendre des « assurances tous risques » impossibles à obtenir.

Si risquer est dangereux, s'engager consciemment et loyalement avec Jésus Christ, n'enlève pas l'effort mais garantit la paix. Il ne peut vouloir que notre vrai bonheur et nous aider à l'obtenir quelles que soient les difficultés de la route.

La vie est devant moi, Seigneur
... mais tu marches avec moi

La vie est devant moi, **Seigneur,**
      comme un fruit attirant
Mais la vie souvent me fait peur,
      car pour en cueillir les fruits,
      il faut sortir de chez soi,
      et partir sur la Route,
      Marcher,
      Marcher encore,
Mais sur route qui tourne et retourne sans cesse,
Et qui ne laisse voir devant soi,
      ni le paysage qui attend,
      ni l'obstacle caché,
      ni les mains qui se tendent
      ou les visages qui se détournent.

Partir, **Seigneur,**
est une passionnante Aventure
J'ai envie de vivre...
mais j'ai peur, souvent.

J'ai peur d'entrer demain, sur l'immense chantier,
où s'affaire la multitude des constructeurs de monde.

Y trouverai-je une place ?
tant de bras neufs demeurent inoccupés
et tant de têtes pleines
attendent d'être employées !

J'ai peur de ce monde mystérieux
qui me fascine et m'effraye
car j'entends les éclats de rires
et je vois les plaisirs
qui de loin me font signe
mais j'entends aussi
les immenses clameurs des souffrances humaines,
Et ces cris me révoltent
que je ne puis faire taire.

J'ai peur de cet amour
qu'à l'aube de mes matins chantants,
comme au creux de mes nuits,
de tout mon être je désire.
Mystérieuse énergie qui m'inonde le cœur
et déborde mon corps,
Obsédante envie, quand les jours s'allongent,
de rencontrer enfin un *visage*,
visage que je reconnaîtrai et me reconnaîtra,
comme l'unique recherché.
Faim de le caresser du regard,
et doucement l'envelopper de mes mains
pour goûter enfin ses lèvres et me laisser goûter.
Faim déjà, que cet amour par nous,
un jour soit fait chair,
et pousse un cri,
le cri de la vie nouvelle,
quand l'amour donne son fruit.

Mais je désire et j'ai peur, **Seigneur,**
Tant d'amours ont sous mes yeux avorté,
    illusions de bonheur,
    comme bulles éclatées
Tant d'amours sont essayées,
    qui n'en finissent pas d'être risquées
Tant de couples d'amis,
    qui se croyaient unis pour toujours,
    et qui si vite se sont déchirés !

Oui, j'ai peur **Seigneur,**
    j'ose me l'avouer
    et j'ose te le dire,
Mais si je ferme les yeux aujourd'hui,
Ce n'est pas pour refuser
de VOIR la Route devant moi,
    mais pour te retrouver, te prier,
    car j'ai *envie de vivre*, **Seigneur,**
    J'ai envie,
Et j'ai *confiance en Toi.*

    O mon Dieu,
fais que jamais je n'oublie de te dire *merci pour la vie*
    Car la vie est tienne,
    Toi qui es Père
    et Père de toute vie,
Et qui m'a fait ton fils,
    ton fils né pour la JOIE.

Donne-moi la fierté d'être homme,
    l'homme DEBOUT que tu désires,
Acceptant de toi cette merveilleuse *vocation*

de me faire moi-même
de *m'élever*, de grandir
Pour partir riche et LIBRE,
sur cette Route devant moi.

Accorde-moi d'accueillir la vie,
à plein cœur,
à pleines mains
Car mes parents me l'ont transmise par amour,
même si l'amour,
peut-être,
fut fragile,
et j'en suis responsable,
puisqu'ils me l'ont donnée.

Aide-moi à ne jamais gaspiller ma vie
vie d'un corps qui se répand
et d'une âme qui se perd.
A ne jamais voler la vie des autres,
mais seulement l'accueillir
lorsque l'autre me l'offre.
A refuser de l'enfermer dans un cœur qui retient
au lieu de l'offrir
à mes frères *en manque*
tant que je ne leur ai pas partagé.

Mets en moi le désir de toujours Te chercher,
pour te rencontrer, te connaître et t'aimer
et devenir avec Toi, l'ami que tu désires
Accueillant ta VIE dans ma vie,
pour que mes fleurs et mes fruits,
soient les tiens,
en même temps que les miens.

Aide-moi à marcher,
  sans vouloir savoir
  ce qu'à chaque tournant,
  la Route me réserve
Non la tête dans les nuages,
  mais les pieds sur la terre,
  et ma main dans ta main.

Alors **Seigneur** je sortirai de chez moi,
  confiant et joyeux
Et m'en irai sans peur sur la Route inconnue,
  car la vie est devant moi,
Mais tu marches avec moi.

Si Dieu habille l'herbe sauvage qui est là aujourd'hui et qui demain, sera jetée au feu du four... n'en ferait-il pas beaucoup plus pour vous ? Vous avez peu de confiance !

Ne vous tracassez donc pas en disant : « Qu'allons-nous manger ? Qu'allons-nous boire ? Avec quoi allons-nous nous habiller ? » — Mais oui, toutes ces questions ce sont ceux qui ne sont pas Juifs qui se les posent. Mais Dieu, votre Père, le sait bien que vous avez besoin de toutes ces choses-là.

Cherchez d'abord le Royaume et une vie fidèle à Dieu et toutes ces choses-là vous arriveront en plus.

Ne vous tracassez donc pas pour demain. Demain se tracassera pour lui-même !

A chaque jour suffit sa difficulté.

Matthieu 6, 30-34

Jésus monte en barque. Ses disciples l'accompagnent.
Survient alors un grand tremblement de mer.
La barque est recouverte par les vagues...
Mais Jésus dort.
Ses disciples s'approchent. Ils le réveillent en disant :
— « Seigneur ! Sauve-nous ! On est perdu ! »
Jésus leur dit :
— « Pourquoi avez-vous peur ?... Quel manque de confiance ! »
Il se lève alors. Avec énergie, il reprend les vents et la mer. Et il se fait un grand calme.

Matthieu 8, 23-26

Il y a deux mille ans, Jésus de Nazareth a été trahi, arrêté, injustement condamné, torturé, exécuté. Mourant sur la croix il a « pris sur Lui » tous nos péchés, toutes nos souffrances. Sa passion « historique » est achevée. Mais en ses membres, elle se déroule maintenant dans le temps.

Tout homme qui souffre, c'est Jésus Christ qui continue de souffrir par lui, en lui. Dans ce sens on peut dire que son Chemin de Croix n'est pas achevé.

Jésus est mort victime de nos péchés. C'est à cause d'eux qu'il a été crucifié. Nous sommes nous aussi, victimes de nos péchés. Dieu ne nous « punit » pas de nos fautes. C'est nous qui nous punissons nous-mêmes, individuellement et collectivement. Il faut le répéter.

Les grands fléaux comme le sous-développement des peuples et le long cortège de souffrances atroces qu'il entraîne, mais aussi les guerres... le chômage etc... sont tous, à des titres divers, fruits des « péchés collectifs » de l'humanité.

Dieu ne « change pas les pierres en pains », mais il nous donne Sa « Parole ». Forts de cette Parole, nous devons aider les « victimes du péché », mais aussi lutter avec nos frères et notre Frère pour détruire les causes de tant et tant de souffrances.

Seigneur,
c'était toi, ce chômeur,
qu'il y a une heure j'ai rencontré...

Seigneur,
Tu dois être fatigué ce soir,
Car tu as fait longuement la queue
au bureau de placement.
Tu dois être humilié ce soir,
Car aujourd'hui tu as entendu
tant et tant de réflexions blessantes.
Tu dois être découragé ce soir,
Car demain...
tu seras en *fin de droits*.
Fin du droit de manger.
Fin du droit de nourrir ta famille.
Fin du droit de vivre...
Et seul droit de mourir.

Seigneur,
Comme *Tu* dois souffrir, ce soir !
Car c'était Toi ce chômeur,
que j'ai il y a une heure, rencontré.
C'était Toi,
je le sais,
parce que tu me l'as dit en ton Saint Évangile.

« *J'étais nu,*
étranger,
malade,
prisonnier... »
chômeur !
C'était Toi, je le sais,
Mais je n'y pensais plus.

Seigneur,
Il est donc si long ton Chemin de Croix !
Moi qui le croyais achevé.
Moi qui Te croyais enfin arrivé
Là-haut sur le Golgotha
Au bout des longues heures de tortures,
Au sommet de l'an trente et quelque chose.

Je savais que tu étais venu chez nous
Comme nous,
L'un d'entre nous,
Et qu'on t'avait vu prendre la Route avec nous,
Occupant fidèlement ta place
dans la longue file des souffrants
Mais je ne savais pas
que ton Chemin de Croix était inauguré
depuis longtemps déjà,
depuis le début des temps,
quand les premiers hommes,
sur les premières terres,
souffraient leurs premières souffrances.
Et je ne savais pas qu'il ne serait achevé,
que lorsque les derniers hommes
auraient poussé leurs derniers cris,
sur les dernières croix.

Car si tu as **Seigneur,**
il y a deux mille ans
accompli ta part jusqu'au bout,
  Fidèlement,
  Parfaitement,
Le chemin de la croix de tes frères est long,
  Très long
Et tu n'as pas fini d'être avec eux, par eux,
  Exploité
  Rejeté
  Humilié
  Emprisonné
  Dépouillé
  Torturé
  Crucifié
Corps et cœur éclatés,
Détaillant dans le temps ta souffrance suprême,
Sur toutes les croix du monde,
 que les hommes ont dressées.

  Tu m'as appris maintenant **Seigneur !**...
Que celui qui aime,
souffre la souffrance de l'aimé.
Et plus il aime plus il souffre,
  Et Toi qui aime infiniment,
Tu souffres infiniment de nous voir souffrir.
  C'est ainsi,
Qu'épousant parfaitement toutes nos douleurs,
  Tu es **Seigneur,** en tes membres,
  Crucifié jusqu'à la fin des temps.
Et c'est cela ta Grande Passion
de souffrance et d'amour.

Seigneur,

je n'étais pas sur le chemin du Golgotha,
il y a deux mille ans,
Comme ta maman qui pleurait
mais en son cœur offrait.
Les saintes femmes qui gémissaient,
Ceux de la foule qui par peur se taisaient,
Ceux qui par haine criaient,
Et comme Simon de Cyrène qui par devoir,
te servait.
Mais aujourd'hui je suis là et je Te vois,
quand je vois les souffrants,
je Te parle quand je leur parle,
Et je T'aide à porter ta croix
quand je les aide à porter la leur.

Je voudrais être,
ô **Seigneur,**
Simon de Cyrène sur le chemin de croix des Hommes.
Car à quoi bon, verser des larmes sur Toi,
mort il y a deux mille ans,
si je ne souffre avec mes frères
qui souffrent aujourd'hui ?
Car à quoi sert de méditer
et gémir en des cérémonies pieuses
si je ne Te vois chaque jour,
peinant sur mon chemin ?

Mais ce soir, priant,
devant eux,
devant Toi,

Je pense aussi **Seigneur** que les croix des hommes
ne s'assemblent pas seules.
Nous les fabriquons nous-mêmes,
    hélas chaque jour,
    par nos égoïsmes,
    notre orgueil,
Et la longue panoplie de nos multiples péchés.

Nous sommes *des fabricants de croix !*
    Artisans à notre compte,
    ou bien ensemble,
    industriels parfaitement organisés.
    Produisant des croix à la chaîne,
    de plus en plus nombreuses
    de plus en plus perfectionnées.
    Croix pour foyers déchirés.
    Croix pour enfants abandonnés.
    Croix pour mourants de faim.
    Croix pour combattants sur champ de bataille.
    Croix pour... chômeurs.
    Et croix...
    et croix...
    toujours des croix,
de toutes formes et de toutes grandeurs !
Et s'il nous faut **Seigneur** être Simon de Cyrène,
    pour nos frères souffrants,
Il nous faut,
Tous ensemble lutter
pour *démanteler nos innombrables fabriques de croix.*

    Merci **Seigneur**,
Car c'était Toi

ce chômeur
100 que j'ai il y a une heure rencontré
Et c'est Toi,
qui par lui,
aujourd'hui,
une fois de plus m'a parlé.

« *Quand viendra dans sa splendeur, le Fils de l'homme...*
Le roi dira à ceux qui sont à sa droite :
— « Vous que mon Père bénit, héritez donc du Royaume qui a été préparé pour vous depuis le début du monde !
Car j'avais faim et vous m'avez donné à manger.
J'avais soif et vous m'avez donné à boire.
J'étais étrange et vous m'avez accueilli.
J'étais sans vêtement et vous m'avez habillé.
J'étais malade et vous m'avez apporté réconfort.
J'étais en prison et vous êtes venu jusqu'à moi ! »
Alors les fidèles observants de la Loi lui répondront :
— « Seigneur, quand nous est-il arrivé de te voir affamé pour te donner à manger ?
Et assoiffé pour te donner à boire ?
Quand nous est-il arrivé de te voir étrange pour t'accueillir ?
Sans vêtement pour t'habiller ?
Et quand nous est-il arrivé de te voir malade ou en prison pour aller jusqu'à toi ? »
Le roi leur répondra. Il leur dira :
— « Je vous donne ma parole : pendant que vous le faisiez à l'un de ceux-ci qui sont mes frères vraiment insignifiants, c'est à moi que vous le faisiez ».

Matthieu 25, 31-40

« *Nous portons partout et toujours en notre corps les souffrances de mort de Jésus afin que la vie de Jésus soit elle aussi manifestée dans notre corps* »

Première Épître aux Corinthiens 4, 10

« *Portez les fardeaux les uns des autres, et accomplissez ainsi la loi du Christ* »

Épître aux Galates 6, 1

*Dieu est « relation subsistante », Père, Fils, Esprit Saint,
tellement unis qu'ils ne font qu'un. L'homme est « fait à l'image
de Dieu », il est lui aussi « relation », mais il n'est pas achevé et
parfait. Il doit se faire progressivement dans une relation de
connaissance, de respect et d'amour avec tous les autres hommes
et d'abord ses proches.*

*Or, un des drames importants dans le monde actuel c'est la
rupture des liens entre les hommes. Ceux-ci s'entassent dans les
villes, les immeubles, les transports... mais souvent se côtoyent
sans se rencontrer en profondeur. D'où la solitude de beaucoup
d'entre eux et tout spécialement de certaines catégories comme
les personnes âgées, les malades, handicapés, prisonniers... C'est
très grave car l'homme sans relation se défait, se détruit
lentement, et peut mourir de solitude.*

*Celui qui attend que quelqu'un le rejoigne « au creux de sa
solitude » risque quelquefois d'attendre longtemps. S'il veut la
vaincre, qu'il sorte de chez lui et qu'il aille vers les autres. Jésus
Christ l'accompagne lui qui est venu pour faire, en Lui, de toute
l'humanité un seul corps.*

Prière au creux de ma solitude

Je suis seul.
Seul **Seigneur**, tu comprends ?
Seul.
Et dehors c'est la fête.

J'ai fait taire le poste de radio,
qui pour moi si souvent me singe une présence
mais le silence en la pièce,
brusquement est entré,
Et l'angoisse sournoisement
en mon cœur s'est installée.

Un moment j'ai prêté l'oreille
aux quelques bruits de l'escalier,
J'imaginais des pas...
quelqu'un montait ?
Pourquoi ce fol espoir,
puisque je n'attends personne,
... et que personne ne viendra !

Si tu le voulais, **Seigneur**,
tu m'enverrais quelqu'un !
J'ai besoin de quelqu'un,

D'une main **Seigneur,**
  rien que d'une main sur ma main
  comme un oiseau posé.
De lèvres sur mon front,
  pour la chaleur d'un baiser.
D'un regard,
  un seul regard gratuit,
  pour me prouver
qu'au moins j'existe pour quelqu'un
De quelques mots enfin,
  et dans ces mots
  les battements d'un cœur offert.

  Mais personne ne viendra
  Je suis seul.
  Seul.
  Et dehors c'est la fête.

Oui, tu peux parler **Seigneur,**
au fond de mon cœur j'entends !
Mais je connais ta chanson,
  celle que me répètent les curés :
tu n'es pas seul, puisque *Je suis là.*
Oui tu es là,
  mais sans mains,
  sans lèvres,
  sans regard et sans mots,
Et moi je ne suis pas un ange,
  puisque tu m'as fait corps !

Tu ne me dis plus rien **Seigneur ?**
  Toi non plus !
  Tu es fâché ?...

Longtemps j'ai marché dans ma prison de solitude,
    et les mots croisés,
      accrochés à leur grille,
    n'ont pu trouver la porte
    pour m'en faire sortir,
Prisonnier que je suis, sans l'avoir mérité.

Mais je pense soudain,
à moins que ce soit Toi qui à nouveau me parle,
    je pense que d'autres que moi
    languissent en solitude.
      J'en connais près de moi,
    et connais ce monde dur,
où des millions d'hommes,
corps contre corps entassés,
dans les immeubles ou dans la foule,
    se côtoyent,
    se frottent,
    se heurtent,
    sans jamais se rencontrer.
Ce n'est pas ce que tu as voulu **Seigneur,**
Toi qui as dit que tu étais venu
rassembler tes enfants dispersés,
    et par ta vie donnée,
    en faire une seule famille.

Ma souffrance maintenant, **Seigneur,**
me parle longuement de la souffrance des autres
Et j'entends leurs plaintes,
plus fortes que les miennes,
Et je comprends enfin,
    qu'il n'est qu'un seul remède
    pour guérir ma solitude,

c'est d'aller vers les autres
pour guérir la leur.

J'ai trouvé ma vocation **Seigneur !**
Moi qui, si souvent me sens cruellement inutile,
et capable de si peu,
malgré mon cœur si grand,
Je serai dans l'Église, *artisan remailleur.*
Je tenterai de resserrer les liens qui étaient desserrés,
et peut-être renouerai-je,
ceux qui étaient cassés.
Ainsi je referai quelque peu le tissu de famille,
Car puisque tu n'as plus **Seigneur,** sur cette terre,
de mains, de lèvres,
de regards et de mots,
Je m'offre comme *sous-traitant,*
pour tous ceux qui comme moi,
ont besoin d'un corps,
même d'un corps vieillissant,
Pour leur dire qu'ils ne sont pas seuls
et que *Quelqu'un les aime.*

Adieu ma solitude !
Il est tard ce soir, mais demain **Seigneur,**
je te le promets,
Je commencerai mon travail,
en allant visiter ma voisine.
Bonsoir **Seigneur...**
Et puisque, une fois encore,
privé de baiser,
je n'en ai point à rendre,
Demain j'en aurai un tout prêt,
à pouvoir donner.

Jésus arrive au lieu-dit « Gethsémani ». A ses disciples, il dit :
— « Asseyez-vous ici pendant que je m'en vais prier là-bas ».
Il emmène avec lui Pierre et les deux fils de Zébédée puis il commence à ressentir tristesse et dégoût. Il leur dit alors :
— « Une détresse m'étreint à en mourir. Restez ici et veillez avec moi ».
Il va un peu plus loin et tombe le visage contre terre. Il prie en disant :
— « Mon Père, si c'est possible que passe loin de moi cette coupe. Pourtant, non pas comme moi je désire mais comme toi tu le désires... »
Puis il revient vers les disciples et les trouve allongés en train de dormir. Il dit à Pierre :
— « Ainsi, vous n'avez pas la force de veiller un moment avec moi... — Réveillez-vous et priez pour ne pas entrer dans l'épreuve : le souffle est plein d'élan mais la chair est sans énergie ».

Matthieu 26, 36-40

Bien-aimés,
si Dieu nous a ainsi aimés,
nous devons, nous aussi, nous aimer les uns les autres.
Dieu, personne ne l'a jamais contemplé.
Si nous nous aimons les uns les autres,
Dieu demeure en nous,
en nous son amour est accompli.

Première Épître de Jean 4, 11-12

*Jésus a dit à ses disciples qu'ils devaient « prendre leur croix »
et Le suivre. Mais il faut Le suivre jusqu'au bout. Or, Jésus ne
s'est pas arrêté au Golgotha ni au tombeau. Nous croyons qu'Il
est VIVANT, ressuscité. Entraînés avec Lui dans sa mort —
notre mort au péché — nous ressuscitons avec Lui, vivant d'une
Vie Nouvelle, la sienne.*

*De même que, d'une certaine façon, la passion de Jésus Christ
n'est pas achevée, car Il continue en ses membres de souffrir et
mourir chaque jour, on peut dire que la résurrection n'a pas
atteint sa plénitude. Pâques n'est pas seulement un événement
du passé — le plus grand Événement de l'histoire — c'est
chaque jour Pâques lorsque nous acceptons, en Jésus Christ
Sauveur, le « passage » de la mort au péché, à la Vie qu'Il nous
offre.*

*Certes, toute « montée humaine » n'est pas automatiquement
entrée dans le Royaume, mais elle est mystère de création qui se
développe dans le Christ, « car c'est en Lui qu'ont été créées
toutes choses... tout a été créé par Lui et pour Lui. Il est avant
toutes choses et toutes choses subsistent en Lui ».*

Colossiens I, 16-17

*L'humanité grandit dans le Christ, en lui elle ressuscite
chaque jour et ressuscitera jusqu'à la fin des temps.*

La vie est belle Seigneur
et c'est Pâques aujourd'hui

La vie est belle **Seigneur**
et je veux la cueillir,
comme on cueille les fleurs au matin de printemps.
Mais je sais mon Seigneur,
que la fleur ne naît,
qu'au bout d'un long hiver où la mort a sévi.

Pardonne-moi **Seigneur,**
je ne crois pas assez au printemps de la vie,
Car la vie trop souvent me semble un long hiver,
qui n'en finit pas de pleurer
ses feuilles mortes,
et ses fleurs disparues.

Pourtant de toutes mes forces,
je crois en Toi **Seigneur,**
Mais à ton tombeau je me heurte, et le découvre vide.

Et quand les apôtres d'aujourd'hui me disent,
que *vivant ils T'ont vu,*
Je suis comme Thomas,
j'ai besoin de *voir* et besoin de *toucher.*

Donne-moi assez de foi,
    je t'en supplie **Seigneur,**
Pour espérer le printemps, au plus dur de l'hiver,
    pour croire à Pâques triomphant
    au-delà du Vendredi de mort.

Car **Seigneur,** *tu es ressuscité !*
Tu es VIVANT !
Toi le grand Frère,
de nous tous à jamais solidaire,
    Toi qui tellement nous aimas,
qu'*avec nous tu fis Corps*
Nous entraînant avec Toi dans la mort au péché
    la véritable mort.
    Toi notre « *tête* »,
premier sorti du ventre de la terre
    Premier homme né en ciel,
Maintenant tu tires en avant un à un tous tes frères,
    les « *membres* » de ton corps,
Jusqu'à ce que l'humanité entière enfin ré-unie,
    soit introduite par Toi,
    avec Toi,
    en Toi,
    en la Trinité Sainte

Seigneur, *tu es ressuscité !*
Du tombeau *grâce à Toi*
    la VIE est sortie triomphante.
La source désormais jamais ne tarira
    Vie nouvelle à tous offerte,
    pour à jamais nous re-créer,
Enfants d'un Dieu qui nous attend,

pour les pâques quotidiennes,
et la JOIE ÉTERNELLE.

C'était Pâques hier, **Seigneur,**
  mais c'est Pâques aujourd'hui,
Chaque fois qu'acceptant de mourir à nous-mêmes,
Avec Toi nous ouvrons une brèche
  au tombeau de nos cœurs,
Pour que jaillisse la Source et que coule Ta Vie.
    Et si tant et tant d'hommes,
    hélas ne savent pas,
    que déjà tu es là,
    dans leur effort humain,
Plus tard à ta lumière, ils le découvriront.

    C'était Pâques hier,
    mais c'est Pâques aujourd'hui,
Quand l'enfant partage ses bonbons,
    après avoir secrètement lutté
    pour ne pas tout garder.
Quand l'époux et l'épouse s'embrassent à nouveau
    après petite dispute ou pénible rupture.
Quand les adversaires enfin après un long combat,
    signent l'accord de vraie justice.
Quand les chercheurs ont trouvé le remède sauveur,
    et le médecin ranimé la vie
    qui sans lui s'éteignait.
Quand les portes de la prison s'ouvrent,
    que la peine est finie,
    et quand déjà dans sa cellule le prisonnier,
    partage des cigarettes avec ses compagnons.
Quand l'homme après un long effort

a trouvé du travail

et ramène à la maison un peu d'argent gagné.

Quand le journal annonce que la Conférence des Grands,

a fait progresser les problèmes du Monde.

C'est Pâques chaque jour,

Mille et dix mille Pâques,

Mais je ne sais pas assez, **Seigneur,**

autour de moi regarder

Et voir les fleurs de printemps

plus que les feuilles mortes.

Je ne veux pas ce soir, **Seigneur,**

te priant,

longuement me lamenter,

pleurant sur mes péchés

et les péchés du Monde,

qui, tous t'ont mené au tombeau,

en engendrant nos morts.

Je ne veux pas m'attarder, implorant ton pardon,

pour tous ces enfermements

et ces enterrements,

qui me font désespérer de la vie, trop souvent.

Avec toi, **Seigneur,**

je ne camperai pas ce soir au Jardin des Oliviers,

pour me réveiller demain,

avec une tête de Vendredi Saint

Car moi qui si souvent m'exaspère

devant les Alleluia trop faciles,

Je ne ferai de ma prière ce soir

qu'une profonde action de grâce,
    pour ces pierres soulevées,
    ces sorties du tombeau
    et cette Vie Nouvelle
    jaillie aujourd'hui sous mes pas.

    Oui, **Seigneur**, la vie est belle,
    Car c'est ton Père qui la fit.
    La vie est belle
Car c'est Toi qui nous l'as redonnée
quand nous l'avions perdue.
    La vie est belle
Car elle est *ta propre Vie* pour nous offerte...
    Mais il nous faut la faire fleurir
    Et je dois pour Te l'offrir chaque soir,
    la cueillir sur les routes humaines
Comme l'enfant en promenade
cueille les fleurs des champs
Pour en faire un bouquet
qu'il offre à ses parents.

    La vie est belle, **Seigneur**,
    c'était Pâques *aujourd'hui*.

C'est le soir du premier jour de la semaine.

Là où se trouvent les disciples, les portes sont fermées car ils ont peur des Juifs.

Jésus arrive. Il est là, au milieu d'eux. Il leur dit :

— « Paix à vous ! »

Après avoir dit ces mots, il leur montre et ses mains et son côté.

Les disciples sont heureux : ils voient le Seigneur !

Jésus leur dit de nouveau :

— « Paix à vous ! Comme le Père m'a envoyé, moi aussi je vous envoie ».

Jean 20, 19-21

Le Christ tel que vous l'avez reçu, Jésus le Seigneur, c'est en Lui qu'il vous faut marcher, enracinés et édifiés en lui, appuyés sur la foi telle qu'on vous l'a enseignée, et débordant d'action de grâces.

...

Car en lui habite corporellement toute la Plénitude de la Divinité

...

Ensevelis avec lui lors du baptême, vous en êtes aussi ressuscités avec lui, parce que vous avez cru en la force de Dieu qui l'a ressuscité des morts.

Épître aux Colossiens 2, 6-7-9-12

Du moment donc que vous êtes ressuscités avec le Christ, recherchez les choses d'en haut, là où se trouve le Christ, assis à la droite de Dieu.

Épître aux Colossiens, 3, 1

Dans le train de Paris,
dans le train de la vie

D'où venons-nous ? Où allons-nous ? Sommes-nous embarqués dans le « train de la vie » sans savoir à quelle gare nous sommes montés et quelle gare nous attend ? Tant et tant de nos frères hélas l'ignorent ! Et nous, nous oublions souvent que Jésus Christ est présent dans le train, avec nous.

Notre voyage n'est jamais un voyage solitaire. Nous sommes dans « un transport en commun ». Dans le train de Paris, dans un autobus, mais aussi dans un immeuble, dans un bureau, une équipe de sport, une « organisation »... qu'importe ! Nous pouvons nous isoler cherchant une artificielle tranquillité. Nous pouvons aussi nous ouvrir aux autres et créer des liens pour que circule la vie. Nous pouvons enfin, si nous avons un peu communié aux autres, dans la prière les conduire avec Jésus Christ, jusqu'à la gare d'arrivée.

Dans le train de Paris,
dans le train de la vie

Seigneur,
il fait chaud dans le train de Paris.
Beaucoup de voyageurs somnolent,
    certains lisent.
L'un de mes voisins fait des mots croisés,
    et plusieurs entrecroisent bruyamment
    leurs mots et leurs rires.

Moi, je regarde le paysage.
    Il fuit derrière nous
    avant même que je n'aie pu l'apprivoiser.
Ainsi la vie.
Je rêve.

J'ai soigneusement choisi une place où je serai seul,
    quelqu'un près de moi gênerait mes mouvements,
    et s'il me souriait il me faudrait sourire,
    et s'il me parlait il me faudrait répondre.

Je suis là,
    enfermé dans mon corps,

      enfermé dans ma tête,
      enfermé dans mon cœur.
Je vois les autres, mais je ne veux pas les regarder,
Je les entends, mais je ne veux pas les écouter.
Je veux être seul.
      Tranquille.

Maintenant je vais lire.
Il ne faut pas perdre trop de temps !
Mais voici que tu me fais signe,
      Seigneur.
Tu es là toi aussi,
      voyageur de tous mes voyages,
      discret tu m'accompagnes,
Et moi comme un amoureux habitué,
      une fois de plus
      j'oubliais ta présence silencieuse.
Tu es là, et lentement tu m'ouvres les yeux.
      tu m'ouvres les oreilles
Tu me réveilles doucement
      comme on éveille un enfant qui veut encore
dormir.
Tu ne peux pas me laisser tranquille,
      Seigneur !
Faut-il sans cesse voir les autres,
      entendre les autres,
      penser aux autres ?
      Et moi ?
Qui pensera à moi si je ne pense à moi ?...
      et mon livre ?...
      depuis le temps que j'ai commencé à le lire,
      je voulais le terminer !

C'est un bon livre **Seigneur,**
il me donne de bonnes idées,
des idées dans ma tête,
qui tournent et qui retournent,
et me nourrissent l'esprit,
et des bons sentiments
qui nourrissent mon cœur.
Je t'assure Seigneur qu'en le lisant
je ne perds pas mon temps....
Mais je sais que je le perds en discutant avec Toi.
Inutile d'insister,
tu as toujours raison.

J'ai fermé le livre et ouvert les yeux.
Tu as gagné **Seigneur!**

... Je ne suis plus seul,
mais ne suis plus tranquille.
Ils sont là mes voisins,
et les voisins de mes voisins,
Ceux de mon compartiment,
de mon wagon, et les autres.
Ils sont là vivants,
en chair, en os,
en rires, en paroles,
en silences,
lourds de joies et de peines,
mille livres ouverts, pour moi,
et chacun son chapitre...
Ils sont là, embarqués dans le même train,
pour le même voyage,
Ils roulent ensemble, au même rythme,

120

Ainsi le train,
Ainsi la vie.

Un regard,
Un sourire,
Un mot,
et j'ai relié ce que je ne voulais pas lier
et j'ai renoué ce que je ne voulais pas nouer.

Maintenant je suis avec eux, **Seigneur,**
    parmi eux,
    l'un d'eux.
Je les accueille enfin
et aujourd'hui te les présente
    en me présentant à Toi,
    moi avec eux,
    eux avec moi,
Et dimanche, je te les offrirai
en ton Eucharistie,
    où tous les trains convergent
    jusqu'à la gare d'éternité.

Ainsi le train,
Ainsi la vie.

    Mais **Seigneur,**
mes compagnons ne sont-ils pas, eux aussi,
    aveugles et sourds ?

Embarqués un jour sans qu'ils l'aient demandé,
    beaucoup d'entre eux ne connaissent,
    ni le sens ni le but du voyage.
    Ils roulent,
    dans le train de la vie.

Je voudrais leur dire où nous allons,
Je voudrais leur dire que la route est belle,
    même si elle est difficile,
    et qu'elle le serait moins
    si nous étions ensemble, UNIS.
Je voudrais leur dire que nous ne sommes pas seuls,
    puisque tu as voulu voyager avec nous,
Mais que nous devons te connaître,
    te re-connaître, et te suivre,
    Toi qui as dit :
    « *Je suis le chemin, la VOIE* ».

Fais confiance mon petit,
    dit le Seigneur
Aujourd'hui *j'avais besoin de toi*,
    de tes yeux ouverts,
    de tes oreilles ouvertes,
    et de ton cœur ouvert.
J'avais besoin d'un *oui*
    ne serait-ce que le tien,
    pour que vous soyez ensemble réunis.
J'avais besoin d'un *oui*
    ne serait-ce que le tien,
    pour prendre les commandes et conduire le train,
    et que le voyage ne soit pas un voyage
    qui ne mène nulle part.

Il est vrai, hélas, que beaucoup de voyageurs,
        dans le train de Paris,
        dans le train de la vie,
auront accompli le voyage sans m'avoir rencontré.
Vous avez élevé tant et tant de tunnels
        sur les lignes des hommes,
        qu'ils roulent dans le noir,
        sans se voir et Me voir,
Et votre lumière, à vous mes amis,
mes disciples,
        est trop souvent cachée pour pouvoir les éclairer.

Mais puisque je suis venu prendre le train avec eux,
        puisque tu as enfin accepté de Me voir
        et de les voir,
        de les accueillir
        et de Me les présenter,
Je te le dis, un jour à ma LUMIÈRE,
        beaucoup me reconnaîtront,
quand arrivés en gare,
        éblouis ils s'exclameront :
« *C'ÉTAIT LÀ !* »
        et me voyant s'écrieront :
« *C'ÉTAIT TOI, AVEC NOUS !* »

        Dans le train de Paris,
        Dans le train de la vie,
        Je suis avec eux,
        Mais *j'ai besoin de toi.*

Jésus lui dit (à Thomas) :
— « Je Suis la Route. Et la Vérité. Et la Vie.
Personne n'arrive au Père autrement que par moi.
C'est en me connaissant que vous connaîtrez mon Père.
Vous le connaissez déjà ! Oui, vous l'avez vu ! »

Jean 14, 6-7

Père, je désire que là où je suis, ceux que tu m'as donnés soient, eux aussi, avec moi et qu'ils contemplent la splendeur que tu m'as donnée car tu m'aimes dès avant le début du monde.

Jean 17, 24

Les hommes ont besoin de se retrouver. A travers des gestes ils tentent l'aventure de la rencontre. « Prendre un verre » est l'un de ces gestes souvent renouvelés.

Derrière cette quête de l'amitié se cache une soif plus profonde que la recherche d'une satisfaction légitime, mais humaine. L'homme a besoin de Dieu et soif d'une eau qui rafraîchira son cœur. Jésus Christ nous propose son « eau vive », sa Vie, qui coulera pour nous et pour nos frères jusqu'en éternité.

Nous devrions plus souvent, aller boire à la fontaine.

Mes amis m'ont dit :
« Venez-vous prendre un verre ? »

Mes amis m'ont dit :
« Venez-vous prendre un verre ? »
Et j'ai pensé, **Seigneur**,
    à ces innombrables invitations,
    renouvelées chaque jour :
« Vous allez bien boire quelque chose ! »
« Qu'est-ce que je vous sers ? »
« Venez, nous arrosons mon anniversaire ! »
« Et maintenant... buvons le pot de l'amitié ! »
    Boire, boire encore...
    Seigneur,
    les hommes ont-ils donc toujours soif ?

Ils ont soif, je le sais.
Soif en leur corps, peut-être quelquefois,
    mais surtout en leur cœur.
Hommes solitaires
qui cherchent la compagnie de leurs frères
    des mots à entendre,
      des rires en cascades pour noyer leurs soucis
      des regards échangés,
      amusés ou complices

des gestes qui les *touchent*,

Pour savoir *qu'ils existent*,
et qu'on les reconnaît
Pour expérimenter,
sentir,
qu'à travers ce réseau de liens,
un instant constitués,
un peu de vie circule
qui réchauffe et unit

Ils ont soif.
Ils s'invitent à boire,
mais ne sont pas désaltérés.
Demain, ils recommenceront.

J'ai soif, moi aussi **Seigneur**,
soif de vie partagée.
Mais je sais que mes soifs humaines,
cachent une autre soif :
celle de TA VIE dans ma vie.
Je Te cherche **Seigneur**,
Mais trop souvent,
Loin, très loin,
alors que tu m'attends, tout près,
... si près, que je ne te vois pas.
Et pourtant, tu m'as dit :
« Celui qui garde ma parole,
mon Père l'aimera, je l'aimerai,
et nous viendrons chez lui
et *nous ferons chez lui notre demeure* » (1)

Pourquoi **Seigneur**,
Pourquoi alors si souvent,

cheminer seul en mon désert aride,
	membres desséchés
	et mains vides de fruits
Pourquoi vivre sans vie,
	quand tu m'offres la tienne ?

Donne-moi je t'en prie,
	d'entendre plus souvent,
au-delà du bruit de mes journées
tes silencieuses invitations.
Car Toi aussi, **Seigneur**,
	tu m'offres à boire !
	A boire une Eau,
qui pour toujours me désaltérera.

Et puisque tu m'attends au bord de mon cœur
comme jadis la samaritaine près du puits de Jacob
	puissais-je plonger souvent,
	très souvent,
	au plus profond de moi,
	et rejoindre la SOURCE
	et boire à cette SOURCE,
	qui jamais ne tarit.

Je serai alors désaltéré, **Seigneur**,
je serai renouvelé,
	mes eaux troubles purifiées,
	et mes mots et mes gestes irrigués.
Et je pourrai retourner vers mes frères,
	pour boire avec eux le verre d'amitié
Je n'irai pas à *contrecœur*,
	craignant le temps perdu,
	mais à *plein cœur*,

cœur vivant de ta VIE abreuvée

    Moi aussi,
    je lancerai mes mots,
    mes rires
    mes regards et mes gestes,
Et si mes amis disent en sortant :
    « *Grands mercis,*
    nous avons passé un bon moment ensemble »
Je t'offrirai **Seigneur** ces mercis,
    car grâce à TOI, par moi,
ils auront peut-être goûté
quelques gorgées de ton EAU VIVE.

(1) Jean 14, 23.

Jésus répond à la Samaritaine :

— « Celui qui boit de cette eau là aura soif de nouveau, — mais celui qui boira de l'eau que je lui donnerai n'aura plus jamais soif ! Mieux, l'eau que je lui donnerai deviendra en lui une source d'eau bondissante pour une vie qui ne finit pas. »

Jean 4, 13

Il y a une noce à Cana en Galilée.

La mère de Jésus est là. — Jésus aussi est invité à la noce et ses disciples. Le vin manque. La mère de Jésus lui dit :

— « Ils n'ont plus de vin ».

Jésus lui dit :

— « Femme de quoi te mêles-tu ? Ce n'est pas encore le Moment ».

Sa mère dit à ceux qui font le service :

— « S'il vous disait quelque chose, faites-le ! »

Il y a six jarres de pierre placées là pour les ablutions des Juifs. Elles contiennent chacune quatre-vingts ou cent vingt litres. — Jésus leur dit :

— « Remplissez d'eau les jarres ».

On les remplit jusqu'au bord.

Jésus leur dit :

— « Puisez maintenant et portez-en à celui qui préside le banquet ».

On lui en porte. — Il goûte l'eau devenue vin, mais il ne sait pas d'où il vient. Ceux qui font le service, eux, le savent : c'est eux qui ont puisé l'eau.

Jean, 2, 1-9

Nous sommes fiers des merveilleuses découvertes scientifiques et techniques des savants d'aujourd'hui, mais nous tremblons quelquefois devant leur pouvoir qui grandit chaque jour. Où allons-nous? L'homme orgueilleux ne devient-il pas un apprenti-sorcier qui manipulant l'univers et la vie elle-même, finira par se détruire?

Pourtant, c'est la belle et enthousiasmante vocation de l'homme, de continuer la création du monde et de l'humanité. A l'origine, Dieu lui a confié cette tâche. Mais il n'est pas dieu et « créateur », mais « co-créateur » avec Jésus Christ « par qui tout a été fait et sans lui rien n'a été fait ».

Le philosophe Bergson depuis longtemps déjà réclamait pour notre monde moderne « un supplément d'âme », il a besoin également au fur et à mesure que grandissent l'homme et sa responsabilité, d'un « supplément d'amour » dans le Christ Jésus.

Seigneur, j'ai peur pour l'homme, car il grandit trop vite !

Une fois encore, **Seigneur,**
ouvrant mon poste de radio,
J'apprends que l'homme réalise
        pour la première fois,
Une de ces merveilles dont hier,
        nul ne pouvait imaginer,
        qu'un jour il en serait capable.
Et je ne sais plus, **Seigneur,**
si je dois admirer le pouvoir de l'homme,
        ou devant lui trembler,
        quelquefois même condamner.

Car les hommes ont découvert et maîtrisé
la prodigieuse énergie cachée en la matière
Ils lancent dans l'espace des centaines de satellites
        explorent les planètes,
        se préparent à les habiter.
Ils inventent et fabriquent des instruments
        qui calculent
        et réalisent en quelques minutes
        ce que mille cerveaux humains
        ne pourraient faire en mille heures

Ils greffent des membres neufs
sur des corps défaillants
Ils font naître l'enfant au creux d'une éprouvette,
et à leur gré bientôt
pourront modeler son visage
Ils gardent la vie en réserve,
et la feront éclore,
quand ils le décideront,
et comme ils le voudront.
Ils font. · ils font encore...
et feront davantage...
Et stupéfaits nous découvrons,
que l'homme parvient à faire
ce que nous pensions
que Dieu seul, pouvait faire,
et qu'hier encore nous lui demandions
en d'inutiles prières.

L'homme est-il si grand,
mon Dieu,
et si grand son pouvoir,
Que désormais il prend ta place,
te reléguant au ciel...
un ciel qui chaque jour s'éloigne davantage ?
L'homme est-il un dieu,
qui jusqu'alors l'ignorait,
mais qui en grandissant,
découvre enfin sa véritable identité ?

Certains le pensent et le disent
et je ne peux y croire,
Mais j'ai peur pour l'homme,
car il grandit trop vite !

Et pourtant je crois...

Je crois que nul savant au monde,
    Jamais,
      quels que soient ses machines,
      ses calculs
      et les calculs de ses machines,
Ne découvrira d'où vient *le train de la vie* (1)
      où il va,
      qui sont les voyageurs embarqués
      et pour quel mystérieux voyage.

Je crois aussi, que les plus grands savants,
      comme nous tous,
      Seigneur,
cherchent quelqu'un qui les aime
      et qu'ils puissent aimer,
Car sans pain,
sans eau,
ils pourront peut-être un jour nous faire vivre,
      beaucoup mieux et beaucoup plus longtemps,
Mais ils ne pourront jamais faire
qu'un homme ne puisse s'épanouir sans amour
      ... et de l'amour,
      jamais ne fabriqueront.

Je crois enfin, que les plus grands savants,
      comme nous tous,
      pleurent quand meurt leur enfant,
      même si cette mort par eux est longtemps repoussée.
Et je crois qu'eux aussi cherchent dans la nuit,
      si quelque chose de lui,
      quelque part est vivant.

... Mais aucun de leurs collègues jamais ne leur dira,
            car ils ne le savent pas,
            et leur science jamais ne leur apprendra.

O Seigneur, que ferons-nous demain,
        si orgueilleusement,
        l'homme s'éloigne de Toi
        et... te perd de vue ?
        Si certains de plus en plus nombreux
        finissent même par croire que tu es inutile
... et d'autres enfin, que tu n'existes pas ?
Qui nous enseignera la Vérité sur nous,
        si ce n'est Toi,
        qui as dit :
Je suis la Vérité...
La Lumière du Monde...
Celui qui vient à moi,
ne marchera pas dans les ténèbres (2)
        Qui pourra la recevoir puisque
        tu nous as dit encore,
        qu'elle ne sera jamais
conquête de la science et des savants,
        mais seulement accessible,
à ceux qui ont un cœur de pauvre (3)

Comment l'homme devenu si grand
pourra-t-il alors accepter de se mettre à genoux
        pour accueillir cette Vérité
        dans la nuit de la foi ?

Oui, **Seigneur,** j'ai peur pour l'homme,
car il grandit trop vite.

Mon petit, dit le Seigneur,
la science n'est pas un mal.

Vous ne devez pas avoir peur de chercher
  et découvrir les secrets de la matière
  et de la vie.
C'est *la gloire du Père* de vous voir grandir,
C'est *votre devoir d'homme* de tout faire,
  pour *tous* vous *élever*.
   Mais n'oubliez jamais que votre esprit,
   même prodigieusement développé,
   restera toujours limité.
Seul votre cœur peut s'ouvrir à l'infini,
  en s'ouvrant à ma VIE,
Et seule ma VIE peut vous permettre de devenir,
  non pas, *comme des dieux* (4)
  mais de véritables *enfants de Dieu*

Ne crains pas davantage le *pouvoir* des hommes
  qui prodigieusement se développe
Le Père du ciel
   n'est pas jaloux de la grandeur de ses fils,
   car en créant les hommes créateurs,
   c'est Lui qui depuis toujours,
   a voulu partager sa Puissance avec eux.

Ce n'est pas leur pouvoir,
  vois-tu, qu'il vous faut craindre,
mais *ce qu'ils font et feront de leur pouvoir grandissant*
  Car si leur esprit,
  s'enrichit de connaissances,
  sans que leur cœur davantage,
  ne s'enrichisse de mon Amour,
Alors ils bâtiront à nouveau des *Tours de Babel*

pour *atteindre le ciel* (5)

136 Elles s'effondreront,
et eux, s'entre-tueront.

Mon petit, pour toi et pour tes frères,
tu crains la souffrance,
fruit de l'orgueil de l'homme ?
Je te comprends,
moi-même en fus victime
Mais cette souffrance je l'ai portée.
Ne doute pas de la victoire finale,
car *j'ai vaincu le Monde.*

(1) Cf. « Dans le train de Paris, dans le train de la vie »
page 117.
(2) Jean 8, 12.
(3) Matthieu II, 25.
(4) Genèse, 3, 3-5.
(5) Genèse II, 4-8.

Certains, il est vrai, le font par envie, en esprit de rivalité, mais pour les autres, c'est vraiment dans de bons sentiments qu'ils prêchent le Christ. Ces derniers agissent par charité, sachant bien que je suis voué à défendre ainsi l'Évangile ; quant aux premiers, c'est par esprit d'intrigue qu'ils annoncent le Christ ; leurs intentions ne sont pas pures : ils s'imaginent ainsi aggraver le poids de mes chaînes.

Première Épître aux Éphésiens I, 15-17

La création en attente aspire à la révélation des fils de Dieu : si elle fut assujettie à la vanité, — non qu'elle l'eût voulu, mais à cause de celui qui l'y a soumise, — c'est avec l'espérance d'être elle aussi libérée de la servitude de la corruption pour entrer dans la liberté de la gloire des enfants de Dieu. Nous le savons en effet, toute la création jusqu'à ce jour gémit en travail d'enfantement.

Épître aux Romains 8, 19-22

Très sincèrement nous pensons que si les hommes veulent construire le monde et développer l'humanité sans Dieu, ils risquent la catastrophe. Mais nous-mêmes, quelle place lui faisons-nous dans notre vie ? Jésus Christ est-il celui qui donne tout son sens à notre existence ? Pouvons-nous dire que l'Évangile éclaire fidèlement nos routes quotidiennes ? Et le temps que nous offrons au Seigneur n'est-il pas souvent le temps qui nous reste — s'il en reste — quand nous avons rempli toutes nos « obligations » ? Et nous qui « élevons » des enfants, quelle priorité choisissons-nous pour leur vie ?

Ne serait-il pas bon de nous remettre de temps en temps devant notre vie et devant le Christ, pour l'entendre nous dire : « Quel intérêt de gagner le monde entier si l'on gâche sa vie ? »

Matthieu 16, 26

Je suis loin de te donner Seigneur la place qui doit te revenir

Je te l'ai dit, **Seigneur :**
>   J'ai peur que l'homme,
> par la science devenant *tout-puissant*,
>   finisse par t'oublier,
> et peu à peu se détruise lui-même
> en se passant de Toi (1)
>>   Mais je pense aujourd'hui que *dans ma vie*,
>>   concrètement,
>>   je suis loin de te donner **Seigneur**,
>>   la place qui doit te revenir.

Je *prends du temps* pour m'instruire,
>   m'informer et me former
>   car je regrette quelquefois
>   de ne pas *savoir* davantage
Je lis des livres,
>   certains sérieux...
>   et d'autres beaucoup moins.
Je parcours journaux et revues.
J'écoute la radio,
regarde la télévision...

(1) Cf. « Seigneur j'ai peur pour l'homme, car il grandit trop vite ! » page 131.

J'ai de bonnes raisons pour le faire.

Il faut être *au courant*,
et très performant dans ce monde exigeant... !
> Il le faut, pour *bien vivre*
> et faire vivre sa famille !
> Et je trouve du temps,
> je prends beaucoup de temps,
au temps que j'ai pour vivre

Mais pour Toi **Seigneur** ?
> pour être *au courant* de Toi
> pour *m'informer* de Toi
> pour *mieux vivre* de Toi ?
Toi **Seigneur**, tu passes... après,
> ... quand il me reste du temps !

Et mes enfants, **Seigneur...** ?
Je veux qu'ils réussissent leur vie,
> mais quelle réussite ?
Qu'ils apprennent *d'abord*,
> autant que moi,
> ou plus que moi.
> Je leur demande,
> je l'exige...
> et quelquefois punis.
Je leur fixe des objectifs prioritaires :
> *cette année tu dois monter de classe*
> *cette année tu as ton examen*
> *Je ne suis pas contre*
> *ton mouvement de jeunes*
> *ton weed-end de formation*
> *ta récollection...*
> *Mais... après*

C'est ainsi **Seigneur** que concrètement je vis,
    et que j'agis pour mes enfants.
Et je suis effrayé du décalage hypocrite,
    entre ce que je pense,
    ce que je dis
    et ce que *je vis.*

Ô Seigneur,
Toi qui es venu au-devant de nous,
    pour nous *révéler* le secret de la vie,
    et la Route d'Amour qui conduit au bonheur,
creuse en nous le désir de Te rencontrer
pour te connaître davantage
    et la faim de Te connaître plus,
    pour mieux te suivre et te servir.
Fais de nous des *chercheurs* de Dieu,
    non seulement par l'intelligence
    mais aussi par le cœur
Aide-nous à *trouver du temps pour Toi*
    non seulement un temps arraché,
    aux futilités qui l'occupent
    mais un temps frais,
    un temps neuf,
comme l'amoureux en découvre soudain,
    pour un amour qui brusquement surgit
    dans sa vie bien remplie.

Seigneur, accorde-nous
à nous parents,
    qui avons donné la vie à nos enfants,
    sans qu'ils l'aient demandée
l'ambition première de leur faire comprendre

que cette vie n'est pas un cadeau
à consommer pour leur seul plaisir
      mais un trésor à faire fructifier,
      pour pouvoir le donner.
Aide-nous à leur transmettre le goût de l'étude,
Non pour qu'ils *réussissent*
      à conquérir plus de *pouvoir*
      et... gagner plus d'argent
Mais parce qu'*ils sont responsables devant Dieu*
des dons qu'ils ont reçus,
      et qu'ils doivent les développer,
      pour demain,
      mieux servir.

Donne-nous assez de vraie foi
      pour leur faire découvrir,
      que *la religion* n'est pas une leçon
      à apprendre et savoir par cœur,
      un règlement à suivre,
      pour vivre plus à l'aise,
Mais *Quelqu'un* à rencontrer,
      à connaître
      à aimer.

Aide-nous **Seigneur,** je t'en prie,
      car si par malheur
      nous leur enseignons de fausses *raisons de vivre*
      nous les engagerons sur des voies sans issues.
Ils parviendront peut-être
à y cueillir quelques plaisirs trompeurs,
mais ils n'y trouveront jamais le vrai BONHEUR,
pour lequel ils sont faits.

Aide-nous **Seigneur,**
    car à quoi sert,
    nous as-tu dit,
    de *gagner le monde entier si l'on gâche sa vie* (1)
    Et à quoi sert d'aider nos enfants
    à le *conquérir,*
    s'ils perdent la leur ?

(1) Matthieu 16, 26.

Il leur raconte une parabole :

— « Il y avait un riche dont la terre avait bien rendu... »

Il fait ses calculs en lui-même : — « Que vais-je faire ? se dit-il, car je n'ai pas où entasser mes produits... »

Puis il se dit : — « Voilà ce que je vais faire ! Je vais abattre mes granges et en construire de plus grandes... J'y entasserai là tout mon blé et mes biens... — Et alors je me dirai, à moi-même : « Tu as beaucoup de biens en réserve... pour de nombreuses années ! Repose-toi ! Mange ! Bois ! Profite. »

Et Dieu lui dit : — « Imbécile ! Cette nuit, on va te réclamer ton âme... et ce que tu as préparé, ce sera pour qui ?...

Voilà celui qui capitalise pour lui-même au lieu de devenir riche chez Dieu ! »

Luc 12, 16-21

« C'est vous le sel de la terre ! »

Si le sel devient fade, avec quoi le rendre salé ?

Il n'a plus aucune force ! On le jette dehors et les passants vont marcher dessus.

Matthieu 5, 13

Une vie au grand jour illuminée par des actions d'éclat, n'est pas forcément une existence bien remplie. Thérèse de l'Enfant Jésus, entre autres, nous a montré au contraire qu'une vie dans l'ombre, tissée de minuscules petites choses pouvait conduire à la sainteté, et rayonner jusqu'aux limites du monde. L'Église a déclaré la « petite » Thérèse, patronne des missions.

Il nous faut souvent faire beaucoup d'efforts pour ne pas « rêver » d'actions extraordinaires en oubliant de faire consciencieusement ce que nous avons à faire. Rêver sa vie ce n'est pas la vivre.

C'est Dieu qui donne à notre existence, si nous sommes disponibles, sa dimension d'infini.

Seigneur, hier soir,
je n'ai pas bien fermé le robinet
de ma cuisine

    Seigneur, hier soir,
je n'ai pas bien fermé le robinet de ma cuisine.
    Qu'importe la goutte d'eau,
    Petite,
    Si petite,
    Qui régulièrement tombait dans la cuvette.
Que peut-on faire d'une petite goutte d'eau ?

Mais ce matin j'ai trouvé la cuvette pleine,
    Elle a débordé toute la nuit.

Je désespère souvent, tu le sais **Seigneur,**
devant les mille gestes répétés, de ma vie quotidienne.
Tant et tant de *petites choses* à faire,
    A la maison,
    Au travail,
    Dans mes *engagements*,
Petites choses qui me semblent insignifiantes,
    Inutiles,
En face de *tout ce qu'il y aurait à faire*,
En face de ce que font *les grands personnages*
    Ceux dont on parle dans les journaux,

Et qu'on montre à la Télévision
Parce qu'ils font de *grandes choses*.

148

Puisque par les événements tu m'invites
Seigneur,
    Là où je suis,
    A vivre sans éclats
    Aide-moi à être fidèle,
Comme Marie ta Mère qui ne fit de grandes choses,
Qu'en faisant chaque jour,
Très bien les toutes petites.
Et je remplirai ma vie
de milliers de gouttes d'eau minuscules,
    mais bien pleines.
Ma vie sera féconde.
Car même dans la nuit elle coulera —
    dans la nuit de mes jours,
    comme dans la nuit de mes nuits —
Elle débordera,
hors de mon cœur qui ne veut retenir.
Et les terres desséchées
autour de moi refleuriront
Et mes proches qui ont soif,
à ma coupe boiront
    Car les gouttes d'eau de ma vie,
    seront par Toi, **Seigneur**
    Devenues fleuve d'EAU VIVE.

Jésus dit :

« *Voilà le Royaume de Dieu : c'est comme un homme qui jette la semence sur la terre. — Qu'il se couche, qu'il se lève, nuit et jour, la semence germe et pousse. Il ne sait pas comment.*

D'elle-même la terre produit d'abord de l'herbe, ensuite un épi, ensuite plein de blé dans l'épi.

Et quand le fruit est à point, tout de suite, on va chercher la faucille parce que la moisson est prête ».

Marc 4, 26-29

Une femme de Samarie arrive pour puiser de l'eau. Jésus lui dit :

— « *Donne-moi à boire* »...

Alors la femme, la Samaritaine, lui dit :

— « *Comment ?... Toi, un Juif... Tu me demandes à boire, à moi qui suis une femme... une Samaritaine !* »

Jésus répond :

— « *Si tu savais le don de Dieu et qui est celui qui te dit :* « *Donne-moi à boire* », *c'est toi qui lui aurais fait cette demande et il te donnerait de l'eau vive* ».

Elle lui dit :

— « *Seigneur, tu n'as même pas de seau et le puits est profond. D'où l'as-tu donc ton eau vive ?...* »

Jésus lui répond :

— « *Celui qui boit de cette eau-là aura soif de nouveau, — mais celui qui boira de l'eau que je lui donnerai n'aura plus jamais soif ! Mieux, l'eau que je lui donnerai deviendra en lui une source d'eau bondissante pour une vie qui ne finit pas.* »

Jean 4, 7-13

L'homme est corps et esprit, en un. Or nous croyons que Dieu nous a faits « à son image et à sa ressemblance ». C'est donc l'homme « tout entier », corps et « âme » qui est reflet de Dieu, et en lui plus spécialement son visage, mystérieuse vitrine de son être le plus profond.

Dieu a parlé dans l'Ancien Testament, mais jamais personne ne l'avait « vu ». (1) Or Dieu, un jour a pris VISAGE. Un visage comme nous, fait de la même terre. Désormais nous pouvons dire d'une certaine façon, que si Dieu nous a faits « à son image et à sa ressemblance », il s'est fait, Lui, en son fils Jésus « à l'image et à la ressemblance de l'homme ».

Il y a plus encore. Par son amour, Jésus Christ s'est « incorporé » tous les hommes. Nous sommes devenus comme dit Saint Paul « les membres de son corps ». Il nous a donné sa Vie dans notre vie, et notre vie, ne l'oublions pas, c'est notre esprit et notre corps *réunis. Nous sommes les frères de Jésus Christ. De la même famille. Il n'est pas étonnant que nous nous ressemblions. Non pas par les traits particuliers de notre visage, Jésus était de race Juive, mais par « l'air de famille » cette mystérieuse lumière qui fait la vraie beauté. Cette ressemblance, nous devons la développer, en nous, en nos frères, en accueillant de plus en plus, par Jésus, la Vie de Dieu, notre Père. Alors nous passerons d'un visage anonyme — quelquefois même défiguré — à un visage transfiguré, puis un jour à un visage de ressuscité.*

Il reste que désormais, sur notre terre, Jésus Christ n'a plus d'autre visage que le nôtre et celui de nos frères.

(1) Jean 4, 12.

J'ai longuement contemplé Seigneur, les visages des hommes

J'ai longuement contemplé **Seigneur,**
les visages des hommes,
    Et dans les visages les yeux,
    Et dans les yeux le regard,
Langage plus profond que les mots et les gestes.
Je reviens vers Toi ébloui et comblé,
    mais toujours plus avide.

    Visages,
Livres ouverts où j'ai tant appris,
tant reçu de mes frères
    Ma nourriture,
    Ma communion,
Visages uniques, œuvres privilégiées,
    que nul fard,
    nulles fautes,
    nulles blessures
N'ont pu définitivement défigurer
aux yeux de ceux qui savent regarder
De quelle mystérieuse pâte êtes-vous faits,
pour qu'en vos sillons soient inscrits
    Les brises et les tempêtes,

Les pluies ou le soleil,
des vies de plein air,
comme des vies les plus secrètes ?

J'ai admiré **Seigneur**,
l'architecture des visages,
    cathédrales,
    chapelles,
    ou discrets oratoires,
Et par elle j'ai connu les richesses
    et les pauvretés de l'artiste,
    qui de l'intérieur les façonnait,
    de chacune de ses pensées,
    et de chacun de ses gestes.

J'ai souffert cruellement devant des visages abîmés,
    défigurés,
Mesurant la profondeur des douleurs cachées,
    comme du mal,
    les sournoises attaques.
J'ai vu alors certains de ces visages perdus,
    à la dérive
    inondés de pluies d'orages,
Tandis que sur d'autres, je n'ai pu recueillir,
hélas,
    que quelques larmes échappées,
    de torrents enfermés.

J'ai bu à longues gorgées,
la lumière de visages habités de soleil
    et j'en fus désaltéré.
Mais j'ai longuement attendu,

comme on guette le lever du jour,
que naisse un sourire, sur des visages de nuit.
J'ai cheminé le long des rides,

    sur des visages anciens,

    sentiers,

    avenues ou crevasses,

Pour retrouver les traces,
et des joies et des peines,
qui ont creusé l'argile de longues vies humaines,

    Et je reviens vers Toi,

    ébloui et comblé,

    mais toujours plus avide.

    Pourquoi **Seigneur**...
    Pourquoi suis-je à ce point fasciné ?
Et pourquoi si souvent ai-je entrepris,
ces longs pélerinages,
vers le sanctuaire des visages ?

Je suis parti, **Seigneur**,

    je l'avoue, poussé par la curiosité.

Les livres nous révèlent si peu des mystères de la vie,

    qu'il faut chercher ailleurs

    la lumière que l'on cherche.

Je pressentais un trésor enfoui
dans cette glaise dont nous sommes pétris,

    Poussière,

    Terre vivante,

    Habitée.

    Terre mêlée d'esprit,

    Au point qu'on ne sait plus,

En ces corps, ces visages,

Où est la terre,
Où est l'esprit
Tant ils sont l'un et l'autre épousés.

Je cherchais la VIE, **Seigneur**,
au-delà de l'harmonie,
des formes et des couleurs.
Je cherchais la « *personne* »
au-delà de tous les personnages
Et au-delà des personnes je cherchais
... ô mystère insaisissable !
    Je cherchais...
    Et j'ai brusquement trouvé,
Que ma faim des visages, était une faim de Dieu.
    ... Je Te cherchais **Seigneur,**
  et Tu me faisais signe !

    Ô Seigneur est-ce possible ?
Que certains croyants
qui sincèrement voudraient Te rencontrer,
souvent s'égarent encore,
    marchant les yeux dans les nuages,
    alors qu'ils pourraient chaque jour t'apercevoir,
    en croisant leurs frères sur les chemins de terre.
    Car depuis que tu es venu chez nous,
    Dieu, pétri de la même argile que nous,
Dieu qui s'est fait VISAGE en Jésus notre frère,
  Nul ne peut rencontrer l'homme,
  Sans découvrir en lui quelque chose de Toi.

TOI, l'enfant de Bethléem,
    dans le visage des bébés souriant...

ou pleurant
TOI, le fugueur du Temple,
   dans le visage des adolescents,
   qui ne savent plus,
   s'ils sont hommes ou enfants.
TOI, le tenté du désert,
   dans le visage des hommes tourmentés,
   partagés,
   déchirés,
   par le mal qui toujours se propose.
TOI, le transfiguré,
   dans le visage des hommes en prière,
TOI, le condamné défiguré,
   dans le visage des hommes torturés,
   gémissant sous les coups,
   les coups au corps,
   les coups au cœur.
TOI, le ressuscité,
   dans le visage de ceux, en qui l'Amour enfin
   a fait toute sa place
   et rayonne chantant l'Alleluia de Pâques.

   Je voudrais **Seigneur**,
      continuer fidèlement,
ce pèlerinage inachevé,
vers le visage de mes frères,
Jusqu'au jour de JOIE,
où tous dans ta LUMIÈRE enfin, les contemplant,
   je Te contemplerai.
Mais il me faut encore,
   avec Toi,

longuement, durement cheminer
et mieux Te connaître
pour mieux Te re-connaître
sur le visage de mes frères.

Ô donne-moi **Seigneur**,
la grâce de respecter les visages
    De ne jamais les *dé-visager*,
      en cherchant à saisir pour moi,
      les beautés passagères,
Ou cueillir au bord de leur chair vivante,
Les fruits qui pour d'autres mûrissent.

Donne-moi de ne jamais fermer les yeux,
    sur des visages aux couleurs étrangères,
    sur des visages obscurs ou pour moi repoussants.
Et dans mon cœur de ne jamais désespérer,
Encore moins condamner,
    quand l'orgueil,
    l'égoïsme ou la haine,
ont fabriqué sur des visages
des masques grimaçants pour carnavals de mort.

Donne-moi au contraire **Seigneur**, le courage,
    de ne jamais m'arrêter sur les rivages des visages,
    rives attirantes,
    ou tristes terrains vagues,
Mais pèlerin de l'au-delà,
franchissant les frontières du visible,
    Donne-moi de rejoindre,
    la claire Source de Vie,
    Là où dans le lac paisible des cœurs
Ton image, lentement se dessine.

Ô donne-moi surtout **Seigneur,**
de regarder les visages
    un peu comme Toi,
    jadis les regardais,
    lorsque ton évangéliste disait de Toi
Il le regarda et il l'aima

    Accorde-moi **Seigneur,**
    un peu de ta tendresse infinie,
Un peu seulement, je t'en supplie.
Et mon regard sur les visages,
sera caresse qui réchauffe.

    Accorde-moi **Seigneur,**
    un peu de ta pureté,
Et mon regard sur les visages,
sera comme saphir sur la cire habitée
Et je délivrerai des chansons depuis longtemps
enfouies
Et je ferai crier des cris trop longtemps enfermés,
    Et les larmes couleront,
    Les sourires fleuriront,
    Et moi,
    J'écouterai chanter ou pleurer les visages,
    Et mystère ineffable,
    Je t'entendrai **Seigneur**
    M'inviter à chanter ou pleurer,
    Avec eux,
    Avec Toi, **Seigneur.**

Dieu dit : « Faisons l'homme à notre image, comme notre ressemblance... et Dieu créa l'homme à son image, à l'image de Dieu il le créa, homme et femme il le créa. »

Genèse I, 26-27

« Il (Jésus le Christ) est l'image du Dieu invisible, le premier-né avant toute créature, en lui, tout fut créé, dans le ciel et sur la terre. »

Épître aux Colossiens I, 15-16

« L'œil, c'est la lampe du corps...
Si donc ton œil est limpide, tout ton corps est dans la lumière.
Mais si tu as l'œil trouble, tout ton corps est dans l'obscurité.
Eh oui, si la lumière qui est en toi est obscurité, quelle nuit ! »

Matthieu 6, 22-23

Et voilà Jésus parti sur la route...
Quelqu'un accourt et tombe à genoux devant lui et lui demande :
— « Bon maître, que dois-je faire pour hériter d'une vie éternelle ? »
...
Jésus le regarde en face et l'aime. Puis il lui dit :
— « Une chose te manque :
Va vendre tout ce que tu as et donne-le aux pauvres.
Et tu auras un trésor près de Dieu.
Et après, viens, avec moi ».

Marc 10, 17 et 21

Beaucoup de fidèles pensent que ce n'est pas respectueux de rire dans une église. Par contre, pleurer n'est pas mal et plutôt bien noté. Pourquoi l'un et pas l'autre ?

Il ne s'agit pas de confondre, distractions bruyantes, rires nerveux, qui ne sont souvent que vaines tentatives pour échapper à soi-même, aux autres et à l'austérité de la vie quotidienne, et joies saines qui s'expriment, éclatent en rires tonifiants.

La joie d'être chrétien ne devrait-elle pas quelquefois s'exprimer. Nous offrons souvent à nos frères des visages sérieux, préoccupés. Nos Eucharisties sont tristes disent les jeunes. Souvent ils s'y ennuient. Ils n'ont pas tort !

Ce n'est pas facile d'être toujours joyeux. Est-ce possible sur terre ? Mais ce n'est pas impossible d'accueillir à plein cœur certains moments de vrais bonheurs et de les partager avec nos frères.

Pour entendre un rire clair qui éclate et fuse comme feu d'artifice dans la nuit d'un 14 Juillet, il faut aller... dans un couvent de religieuses à l'heure de la récréation. Et regarder les visages. Écouter.

Pourquoi ?

Et si c'était Jésus Christ, enfin pleinement accueilli dans un cœur pur, qui nous donnait... envie de rire !

Seigneur, fais-moi rire !

Je ne sais pas pourquoi, **Seigneur**,
    ce matin te priant,
J'ai brusquement réalisé,
    que jamais je ne t'avais imaginé,
    Riant.
Riant d'un vrai rire sonore qui roule ses échos,
    en vagues successives,
Vers les autres qui l'accueillent,
    riches de ces joies offertes.

Je t'imagine paisible
et quelquefois discrètement souriant,
    mais surtout sérieux et grave,
    et quelquefois pleurant.
Et tu sais **Seigneur** que je suis heureux de savoir,
    que tu as su pleurer !
Mais tes évangélistes n'ont pas jugé bon de nous dire,
    qu'un jour en telle ou telle circonstance,
    tu avais franchement ri.
Et moi je le regrette.

Je te vois aussi **Seigneur**, beau, lumineux,

transfiguré par la prière,

Ou bien les yeux brillants de colère,
fustigeant les hypocrites de la morale
et de la religion.
Je te vois défiguré,
tremblant de solitude et de peur,
ensanglanté sous la torture.
Mais éclatant de rire... décidément, non.

Et pourtant tu riais, j'en suis sûr.
Même si de bonnes âmes pensent,
peut-être,
que ce n'est pas convenable !
Tu riais, enfant, à Nazareth,
quand tu jouais sur la place avec tes camarades
Tu riais, adolescent, avec tes cousins,
dans la caravane, au retour du Temple
Tu riais avec tes disciples,
à la noce de Cana en Galilée
et tu chantais,
et tu dansais si les autres dansaient.
Mais après...
j'ai du mal à imaginer !...

J'ai cherché pourquoi.
Je pense avoir trouvé...
C'est *que je manque de foi !*

Sans trop de difficulté,
je crois que tu es Dieu.
Ton Père me l'a soufflé,
j'en suis sûr,
puisque tu nous as dit que seul,

on ne pouvait le croire,
Et je le remercie de ce cadeau merveilleux
    qui transforme ma vie
      Mais je l'avoue,
    ce n'est pas facile pour moi,
de croire que tu es homme.
Pas un surhomme, un homme.
Un vrai.
Et que tu n'as pas joué à l'homme
      Déguisé en homme
      Pour faire semblant d'être avec nous,
      Solidaire de toute notre vie.

      Et pourtant **Seigneur,**
si j'ai quelquefois peine à le croire,
quand je médite ce mystère en ma « *tête* » seulement
C'est pour moi la plus merveilleuse nouvelle
Celle qui me comble de reconnaissance et de joie,
      quand je la contemple en mon cœur.
      Car elle est à mes yeux
      la preuve la plus sûre,
      la plus bouleversante,
      que tu nous aimes par-dessus tout,
      et que cet amour nous est proche,
      si proche qu'il nous *touche*
      qu'il prend racine en nous
Dans cette humanité créée par Toi,
      mais si loin,
      si loin de Toi,
si tu n'étais venu.

Car tu aurais pu aimer d'en haut **Seigneur,**
    et nous envoyer un ambassadeur

qui fût autre que Toi
Mais Tu t'es déplacé *personnellement*.
Tu aurais pu venir *à côté* de nous,
Toi, *Dieu*, pour nous entraîner.

Et nous, *hommes* pour Te suivre.
Mais Tu es venu chez nous,
Homme avec nous,
Homme comme nous,
tellement comme nous,
que nous sommes devenus frères.
Frères du bébé qui pleurait,
et buvait le lait de sa maman.
Frères du petit enfant qui apprenait à lire,
à prier
Frères de l'homme qui prêchait si bien...
trop bien,
qu'il en est mort sous la torture,
en offrant sa vie pour nous.
Frère.
Notre frère Jésus,
qui savait pleurer... *et rire* ...
Puisqu'il était un homme.

J'ai des drôles d'idées **Seigneur,**
Mais que veux-tu,
De penser à Toi si proche de nous...
si semblable à nous
pour que nous devenions semblables à Toi
Me rend heureux
Tellement heureux
que je m'étonne que nous ne le soyons pas plus
Et je souffre de nous voir trop sérieux

quand nous parlons de Toi
Et je ne comprends pas que nous ayons l'air triste,
quand nous nous rassemblons pour Te prier,
et offrir avec Toi au Père,
ta souffrance... et tes pleurs,
tes joies... et tes rires,
Ta vie !
Les hommes autour de nous,
en Toi croiraient peut-être plus,
si nous étions davantage joyeux,
et si on le voyait.

Pardonne-moi mes gamineries,
mais j'ai envie de Te dire ce soir
comme les tout-petits enfants
sur les genoux de leur grand frère :
« *Fais-moi rire !* »
Oui, c'est ma prière inattendue,
Seigneur, fais-moi rire !
Pour que je puisse à mon tour,
faire rire mes frères.
Ils en ont tant besoin !

Ce qui était dès le commencement,
ce que nous avons entendu,
ce que nous avons vu de nos yeux,
ce que nous avons contemplé,
ce que nos mains ont touché du Verbe de vie,
— car la Vie s'est manifestée : nous l'avons vue, nous en rendons témoignage
et nous vous annonçons cette Vie éternelle,
qui était tournée vers le Père et qui nous est apparue —
ce que nous avons vu et entendu, nous vous l'annonçons,
afin que vous aussi soyez en communion avec nous.
Quant à notre communion,
elle est avec le Père
et avec son Fils Jésus Christ.
Tout ceci, nous vous l'écrivons pour que notre joie soit complète.

Première Épitre de Saint Jean, I, I-4

« Acclamez le Seigneur terre entière,
Servez le Seigneur dans l'allégresse
Venez à Lui avec des chants de joie »

Psaume 99

Ce n'est pas « par plaisir » que nous sommes « engagés » dans tel ou tel mouvement ou service dans l'Église ou dans le monde. Nous sommes au contraire, quelquefois, très las de toutes ces réunions et activités qui « mangent » notre temps et nous valent beaucoup de reproches même et surtout de la part de ceux que nous aimons. Mais, il nous faut fidèlement vérifier l'authenticité de notre action. Il s'y mêle souvent beaucoup de recherche de nous-même, d'orgueil... !

Chrétiens, nous devons être plus vigilants encore en ce qui concerne la présence de Jésus Christ au cœur de notre action. C'est avec Lui que nous travaillons.

Nous avons beaucoup de mal à vivre ce « regard de foi » et dans nos réunions, à le partager en équipe. Pourtant « sans « Lui » nous ne pouvons rien faire ».

Est-ce vraiment pour toi, Seigneur ?

Est-ce vraiment pour toi, **Seigneur,**
    que je suis sorti ce soir,
    participer à cette réunion ?

    Il faisait nuit,
    Il faisait froid,
La maison était douce, et ma femme attirante.
Sans un mot, elle m'a laissé partir,
    rien qu'un pâle sourire sur un petit baiser,
    mais dans son regard
    — ce regard où je lis —
    une morne lassitude
où j'ai perçu un persistant reproche
    encore une fois !

Elle dormira lorsque je rentrerai,
et j'éviterai le bruit pour ne pas l'éveiller,
    tout en souhaitant,
    tout bas,
que dans le lit, lorsque je m'y glisserai,
    elle se retourne vers moi,
    et murmure, à moitié endormie :

« *Es-tu content de ta réunion ?* »

Je m'endormirai alors un peu rassuré,
parce que je le crois,
un peu compris et un peu pardonné...

Mais est-ce vraiment pour toi, **Seigneur,**
que je suis sorti, ce soir ?

Dans la voiture, je roule rapidement,
je suis en retard et mes amis m'attendent
Autour de moi la ville déjà, silencieusement s'endort,
et je m'aperçois que je m'admire un peu,
en pensant que, moi, je veille,
courageux,
au service de mes frères.
Cependant je roule avec mes doutes,
inquiet,
Mal à l'aise devant moi, et devant toi, **Seigneur.**

Est-ce vraiment pour Toi que je suis sorti ce soir ?
N'est-ce pas par habitude ?...
c'est le jour !
N'est-ce pas pour « faire réussir » mon mouvement,
ou l'action préparée ?...
nous sommes si peu nombreux !
N'est-ce pas par orgueil ?...
sans moi ils ne pourront pas... !
N'est-ce pas pour défendre et faire triompher
mes idées ?...
je les crois seules justes !
N'est-ce pas pour jouer la fidélité ?...
jamais je ne manque !

N'est-ce pas pour me donner bonne conscience ?...
      les hommes d'Église nous disent
      qu'il faut nous engager !
Est-ce vraiment pour Toi ?

J'ai peur quelquefois de me faire illusion,
      sur la valeur de mon action,
      sur mes intentions,
      sur ma générosité,
      sur ma foi,
      et de courir,
      d'agir,
      de me dépenser,
      pour moi,
      sans Toi.

Je roule avec mes doutes, **Seigneur,**
      et au fur et à mesure
      que tu m'invites à penser à Toi,
      ceux-ci, plus encore,
      dansent leurs sarabandes ironiques,
suscitant en moi une tenace envie de recueillement,
pour Te trouver à l'adresse du silence...
Mais c'est vers le bruit que je roule,
      le fracas des mots
      et l'éclat de l'action,
      ... et je sais que dans quelques instants,
      une fois encore,
      je t'oublierai,
Toi, que je voudrais servir.

Pardonne-moi, **Seigneur,**
Parce que si je crois de toutes mes forces

que tu as voulu avoir besoin de moi,
        besoin de nous,
        pour bâtir un monde fraternel
J'oublie souvent que j'ai besoin de Toi pour le réaliser
Et je travaille seul,
        je lutte seul,
        je me bats seul,
Et les autres aussi, je le crains,
Car nous ne pensons pas souvent
à t'inviter à la réunion,
        Et quand enfin nous disons que Tu es là,
        parce que c'est l'habitude,
        nous évitons de chercher
        et de te demander Ton avis,
Car il est plus facile de nous contenter du nôtre,
et plus difficile de méditer ton Évangile
et prier ton Esprit Saint.
Pourtant, **Seigneur,**
n'est-ce pas *en vain que nous bâtissons,*
si nous ne bâtissons pas avec Toi!

Tu es là et je te parle, **Seigneur,**
Je te confie cette réunion,
        et tout à l'heure,
j'oserai parler de Toi.
Ce sera VRAI et je serai VRAI,
        parce que nous aurons dialogué
        et nourri notre amour
Et quand nous reviendrons,
        ensemble,
        dans la voiture,
Nous parlerons encore, de la réunion,

de ceux qui y participaient
et de *notre* travail.

Et si au retour, ma femme se réveille,
Seigneur,
tu lui donneras un baiser,
n'est-ce pas,
quand je lui donnerai le mien.

Oui, je vous en donne ma parole : celui qui a foi en moi fera, lui aussi, les actions que je fais. Il en fera même de plus importantes — parce que je m'en vais vers le Père. Et je ferai ce que vous demanderez de ma part. Pour que, grâce au Fils, soit chantée la splendeur du Père.

Si en mon nom, vous me demandez quelque chose, je le ferai.

Jean 14, 12-14

Restez en moi et moi en vous.

Si elle ne reste pas dans la vigne, une branche ne peut produire de fruit toute seule, ainsi, vous non plus, si vous ne restez pas en moi.

Je Suis la vigne. Vous êtes les branches.

C'est celui qui reste en moi et moi en lui qui produit du fruit en abondance car, sans moi, vous ne pouvez rien faire.

Jean 15, 4-5

La vieillesse est pour beaucoup une terrible épreuve. Même si la vie est souvent difficile, au moment où elle s'échappe, nombreux sont ceux qui cherchent à la retenir. La souffrance la plus grande est d'être condamné croit-on à l'inutile, donnant aux autres de la peine alors qu'on voudrait encore servir.

C'est le temps de l'humilité et de la foi purifiée.

La vieillesse n'est pas route vers la mort, mais chemin vers la vie. La vie enfin pleinement épanouie et dans le Christ à jamais divinisée. Mais il faut accepter la dure transformation, le passage à cette vie autre, comme le grain de blé enterré doit mourir pour engendrer l'épi.

Pour la personne âgée le temps est passé de courir vers les autres, mais non pas celui de « demeurer dans le Christ comme lui demeure en nous » (Jean 15, 4). Là est la condition pour que le fruit mûrisse.

Je vieillis, Seigneur !

Je vieillis, **Seigneur**,
    et c'est dur de vieillir !

Je ne puis plus courir,
    et même marcher vite,
Je ne puis plus porter de lourdes charges,
    et monter rapidement l'escalier de chez moi.
Mes mains commencent à trembler,
    et très vite mes yeux se fatiguent
    sur les pages du livre
Ma mémoire faiblit et rebelle me cache,
    des dates et des noms
    que pourtant elle connaît.

Je vieillis, et les liens d'affection noués
    au cours des longues années passées,
    un à un se relâchent,
    et quelquefois se brisent.
Tant de personnes connues,
Tant de personnes aimées,
S'éloignent et disparaissent
    dans l'au-delà du temps,

Que mon premier regard sur le journal du jour,
        est pour chercher inquiet les avis de décès.

Chaque jour un peu plus, **Seigneur,**
        je me retrouve seul,
Seul avec mes souvenirs,
        et mes peines passées
        qui toujours en mon cœur,
demeurent très vivantes,
tandis que beaucoup de joies souvent,
        me semblent envolées.

Seigneur comprends-moi !
Toi qui a brûlé ton existence
        en trente-trois années intenses,
Tu ne sais pas ce que c'est que lentement vieillir,
Et d'être là,
Avec la vie qui s'échappe implacable
        de ce pauvre corps rouillé
vieille machine aux rouages grinçants,
        qui refuse ses services.
Et d'être là, surtout,
Et *d'attendre.*
D'attendre que le temps passe,
Un temps qui s'écoule certains jours si lentement
        qu'il semble me narguer, et tourne, et traîne,
        devant moi,
        autour de moi,
Sans vouloir céder la place à la nuit qui vient,
Et permet enfin de... *dormir.*

Seigneur comment croire que le temps d'aujourd'hui,
        soit le même que le temps de jadis,

Celui qui courait si vite certains jours,
    certains mois,
Tellement vite que je ne pouvais pas le rattraper,
    et qu'il m'échappait
    avant que je n'aie pu le remplir de vie ?

Aujourd'hui j'ai du temps, **Seigneur,**
Trop de temps.
Du temps qui s'entasse à mes côtés,
Inutilisé.
Et moi, je suis là, immobile,
    et ne servant à rien.

Je vieillis, **Seigneur,**
    et c'est dur de vieillir,
Au point que certains de mes amis je le sais,
    te demandent souvent que finisse cette vie
    qui devient pensent-ils,
    désormais inutile.

Ils ont tort mon petit, dit le **Seigneur**
Et toi aussi,
    qui ne le dis pas,
    mais parfois les approuves.
A tous les hommes vos frères,
    vous êtes nécessaires.
Et Moi j'ai besoin de vous aujourd'hui,
    comme j'avais besoin de vous hier.
Car un cœur qui bat, fut-il très usé,
    donne encore la vie,
    au corps qu'il habite,
Et l'amour en ce cœur peut jaillir,

souvent, plus puissant et plus pur
quand le corps fatigué lui laisse enfin la place.
Certaines vies débordantes,
   vois-tu,
   peuvent être vides d'amour,
   tandis que d'autres,
   paraissant bien banales,
   rayonnent à l'infini.

Regarde ma mère Marie,
   pleurant,
   immobile au pied de ma croix
Elle était là.
Debout certes,
   mais elle aussi *impuissante*,
Tragiquement impuissante.

Elle ne faisait RIEN,
   sinon que d'être là.
Tout entière recueillie,
Tout entière acueillante,
Et tout entière offrante,
   et c'est ainsi qu'avec Moi,
   elle a sauvé le Monde,
   en lui redonnant,
   tout l'amour perdu par les hommes,
   sur les routes du temps.

Aujourd'hui, *avec elle*,
   au pied des croix du Monde,
   recueille les immenses souffrances de l'humanité,
   bois mort à brûler au foyer de l'amour.
Mais accueille aussi les efforts et les joies,

Car les fleurs cueillies sont belles,
    mais ne servent à rien,
    qui ne sont point offertes,
    et tant d'hommes pensent à vivre,
    mais oublient de donner.

Crois-moi,
    ta vie aujourd'hui
    peut être plus riche qu'hier,
Si tu acceptes de veiller,
    sentinelle immobile dans le soir qui vient.
Et si tu souffres de n'avoir plus rien en tes mains,
    que tu ne puisses donner,
Offre ton impuissance
Et ensemble je te le dis,
Nous continuerons de sauver le Monde

Restez en moi et moi en vous.

Si elle ne reste pas dans la vigne, une branche ne peut produire de fruit toute seule, ainsi, vous non plus, si vous ne restez pas en moi.

Je Suis la vigne. Vous êtes les branches.

C'est celui qui reste en moi et moi en lui qui produit du fruit en abondance car, sans moi, vous ne pouvez rien faire.

Jean 15, 4-5

Jésus dit :

— « Je vous en donne ma parole : il n'y a personne qui laisse maison ou femme, frères, parents ou enfants à cause du Royaume de Dieu — qui ne recevra beaucoup plus, dès à présent et, dans le Temps qui vient, une vie qui ne finit pas. »

Luc 18, 29

Quand je parlerais les langues des hommes et des anges, si je n'ai pas la charité, je ne suis plus qu'airain qui sonne ou cymbale qui retentit. Quand j'aurais le don de prophétie et que je connaîtrais tous les mystères et toute la science, quand j'aurais la plénitude de la foi, une foi à transporter des montagnes, si je n'ai pas la charité, je ne suis rien. Quand je distribuerais tous mes biens en aumônes, quand je livrerais mon corps aux flammes, si je n'ai pas la charité, cela ne me sert de rien.

Première Épître aux Corinthiens 13, I-3

Nous sommes trop souvent sûrs de nous, et quand dans nos vies l'imprévu se présente, incidents anodins ou violents orages, nous qui nous croyions debout, nous nous retrouvons à terre. Nous mesurons alors notre faiblesse.

C'est que nous comptons sur nos propres forces.

Dieu seul peut, à travers nos efforts, nous assurer la fidélité que nous lui avons promis.

Je sortais, Seigneur,
mais mon bas a filé

Je sortais, **Seigneur**,
  mais mon bas à filé.
J'étais en retard pour partir au travail,
  mais le lacet de ma chaussure a cassé.
Je suivais le match à la Télévision ;
  mon équipe allait marquer,
  mais le téléphone a sonné.
Dans la rue je me hâtais,
  mais j'ai rencontré un ami,
  il m'a raconté...
  s'est raconté...
  sans me laisser le temps de lui dire
  que j'étais attendu.
Je dormais enfin,
  mais l'enfant a crié,
  car lui se réveillait.

C'est l'imprévu, **Seigneur**,
  dans ma vie bien rangée.
Comme boule lancée dans un beau jeu de quilles,
Me voilà dé-rangé.
Je m'énerve,

Je m'irrite,

Quelquefois même,
    autour de moi j'attaque mes proches,
    les jugeant responsables.
Et la paix en mon cœur subitement disparaît.

    Pour tenter de marcher à ta suite, **Seigneur**,
    je fais beaucoup d'efforts.
Trop sûr de moi,
    souvent je crois y parvenir.
Mais déçu,
    humilié,
    aujourd'hui m'aperçois,
Que j'accepte de Te suivre,
    seulement...
Quand je connais la route et les étapes du voyage.
Devant l'imprévu,
    violemment je me heurte,
Et mes bons sentiments
    s'envolent ou se répandent à terre.
Je me croyais fidèle,
    et me découvre infidèle.

    Je ne vis pas encore assez, **Seigneur**,
    Près de Toi.
    Avec Toi.
Et pourtant tu es là,
Dans ma vie bien prévue
Comme dans les imprévus.
Tu ne te réjouis pas des difficultés qui surgissent,
    Mais disponible toujours,
    si je le veux
Tu m'aides à vivre l'aujourd'hui qui s'invite.

Donne-moi, **Seigneur,** je t'en prie
La paix que jadis à tes disciples tu promis,
Non pas *ma* paix,
  celle que fier de moi,
  à coups de volonté je me fabrique,
Celle dans laquelle orgueilleusement
je me crois installé,
  mais *la tienne.*
Celle que de Toi je reçois,
  quand humblement je la demande
Celle que n'atteint,
  ni coups de vent,
  ni violentes tempêtes.
Alors l'imprévu sera pour moi,
  grâce à Toi,
Un test de fidélité,
Un critère,
Une question d'amour qui attend,
  ma réponse d'amour.
Et par lui je te dirai, **Seigneur :**
  « *Tu vois bien que je t'aime !* »

Pierre dit à Jésus :

— « Seigneur, pourquoi ne pourrais-je pas venir avec toi maintenant ?... Je donnerai ma vie pour toi ! »

Jésus répond :

— « Tu donnerais ta vie pour moi ?... Ma parole : le coq n'aura pas chanté que tu m'auras renié trois fois ».

Jean 13, 37-38

Je vous laisse la paix. Je vous donne ma paix.
Ce n'est pas comme le monde la donne que je vous la donne.

Jean 14, 27

Comment l'homme qui ne porte sur lui-même qu'un simple regard humain, pourrait-il ne pas être pris d'un terrible vertige quand il prend conscience de sa « petitesse » face aux centaines de milliards d'hommes de l'humanité passée, présente et à venir ! Qui est-il ? Que vaut sa vie, goutte d'eau minuscule dans un immense océan, quelques instants dans des millions d'années ?

Seul un regard de foi peut conjurer l'angoisse.

De même que, dans une famille nombreuse chaque enfant bénéficie de l'amour « total » de ses parents et qu'un nouveau fils l'obtient également sans rien enlever à ses frères, de même l'amour de « notre Père qui est aux cieux » nous atteint tous personnellement et... infiniment.

Parce que membre « unique » dans le grand corps Humanité, nous sommes indispensable, chacun à notre place, et notre vie n'est pas une vie qui passe, ne laissant que quelques traces, elle est, en Jésus Christ et par Lui vie éternelle.

C'était une large et vieille pierre, Seigneur

C'était une large et vieille pierre, **Seigneur,**
dans un très vieux chemin qui menait au village,
    en haut.
On me dit que ce chemin était
    depuis la plus lointaine antiquité,
le lieu de passage d'une foule d'envahisseurs,
    de voyageurs, et de pèlerins,
Et que des centaines
et des centaines de milliers de personnes,
    avant moi, avaient foulé cette dalle,
    sans pouvoir l'effacer.
Je la regarde,
    creusée comme un quartier de lune,
    polie comme un galet,
Et contemplant cette pierre dure, qui dure,
    impassible témoin,
Je suis pris de vertige devant ma petitesse.

Qui suis-je, **Seigneur,** moi qui passe si vite,
    en face d'elle qui demeure ?
Elle a porté le poids de centaines
et de centaines de milliers d'hommes,
depuis des centaines et des centaines d'années,

Et je ne suis qu'un pas,
parmi des millions d'autres pas,
pas, qui se sont évanouis,
tandis qu'elle veille, immobile,
Pierre dure, qui dure, pour me rappeler ma petitesse.

Quelles traces ont-ils laissées, **Seigneur,**
tous ces voyageurs du temps,
foule innombrable d'hommes
qui ont vécu avant que je ne vive ?
Leurs millions associés, à peine sont parvenus,
à faire plier le dos de cette pierre dure.

Ils sont passés, tous ces passants !

Où sont-ils donc maintenant, minuscules fourmis,
lorsque dépassant le village,
en haut,
ils ont un à un basculé hors du temps,
au bout de leur chemin de vie ?
Où sont-ils, ces milliards de *disparus* ?
Je ne les vois plus
Je ne les entends plus
... tandis que je vois cette pierre dure qui dure,
pour me rappeler ma petitesse.

Qui suis-je donc, **Seigneur,**
moi qui suis si petit et me voudrais si grand ?
Moi qui compte mes jours, mes ans,
et ne suis qu'un instant !
A quoi bon vivre,
si ma vie n'est qu'une seconde dans des millions
d'années ?
A quoi bon lutter,
si mes efforts et ma souffrance,

ne sont qu'imperceptibles soupirs
dans l'immense clameur de l'innombrable humanité ?
     A quoi bon rire si l'éclat de mon rire,
à peine élevé, s'éteint,
     étincelle fugitive dans la terrifiante nuit des
temps ?

Quel est donc le poids de ma vie, **Seigneur** ?
    et le poids de chacun de mes pas,
    de mes paroles, de mes gestes,
    de mes larmes et mes sourires,
Moi qui les voulais grands et lourds,
    au point de rêver pour eux,
    la dimension d'éternité ?

Mais surtout, **Seigneur**, ô oui surtout,
Comment croire, moi qui suis si petit,
    que je sois si grand à tes yeux ?
Comment as-tu pu me désirer et m'attendre
    parmi les millions d'hommes à venir ?
Comment peux-tu aujourd'hui me remarquer,
    grain de sable minuscule sur les plages du monde,
    goutte d'eau dans le fleuve immense,
    qui coule et disparaît dans l'Océan ?
Comment peux-tu m'aimer
parmi tous les autres à aimer,
Et comment pourras-tu te souvenir de moi,
    lorsque s'éteindra de ma vie,
    la minuscule flamme,
    et qu'elle ira rejoindre je veux le croire,
    les milliards de flammes
qui devant Toi, brûlent encore,
    et brûleront jusqu'en éternité ?

Ô dis-le-moi, **Seigneur,**
Devant cette pierre dure, qui dure,
    qui m'émeut et me nargue,
J'ai besoin de t'entendre redire que tu m'aimes,
    comme tu m'as dit que tu m'aimais...
    malgré ma petitesse.

Oui, je t'aime mon petit dit le **Seigneur,**
et ta vie m'est précieuse,
    car il n'est qu'*une seule vie,*
et cette vie est jadis sortie du cœur de mon Père.
    Mais la vie, vois-tu,
    n'est pas comme les pas des hommes,
    un à un séparés,
elle est fleuve qui coule en chacun d'entre vous,
    fussiez-vous des milliards.
Tu la reçois des autres, et tu dois la donner,
    et les autres de toi la reçoivent,
    pour la donner encore.
C'est cela l'amour, mon petit : la vie donnée.
    Si tu la gardes pour toi, tu meurs,
    Si tu la donnes, tu vis
... et tes pas, tes paroles, tes gestes et tes sourires,
vivront en tes frères jusqu'à la fin du monde.

Mais écoute encore,
Ta vie m'est tellement précieuse
que je t'offre la mienne,
    Si tu acceptes de L'accueillir en la tienne,
    alors tes pas, tes paroles,
    tes gestes et tes sourires, vaincront la mort,
et franchissant les portes du temps,
    déboucheront en mon éternité.

Va en paix, je te redis que je t'aime
      et que mon Père t'aime, « *toi* » personnellement,
comme les milliards de tes frères,
Car l'amour authentique, jamais ne diminue
      quand entre tous, il se partage,
Et ton Père est Dieu,
Et son Amour INFINI.

     Merci **Seigneur,** ô oui merci de ton Amour,
... et merci à toi, pierre dure qui dure,
   si je le pouvais je t'emmènerais,
   et je ferais de toi, la pierre d'un autel.

Jésus propose à la foule une parabole.
— « Le Royaume de Dieu ressemble à une graine de moutarde que quelqu'un prend et sème dans son champ. — C'est la plus petite de toutes les semences mais quand elle pousse, elle est plus grande que les légumes et devient un arbre si bien que les oiseaux du ciel viennent faire leurs nids dans ses branches ».

Matthieu 13, 31-32

De même que notre corps en son unité possède plus d'un membre et que ces membres n'ont pas tous la même fonction, ainsi nous, à plusieurs, nous ne formons qu'un seul corps dans le Christ, étant, chacun pour sa part, membres les uns des autres. Mais, pourvus de dons différents selon la grâce qui nous a été donnée...

Épître aux Romains 12, 4-6

Une foule immense d'hommes se relève la nuit pour aller au travail. Pour la plupart ils n'ont pas choisi cette épreuve, mais sont poussés par la nécessité.

Quelques hommes et quelques femmes se relèvent la nuit pour aller prier à la chapelle de leur abbaye. Ils ont choisi de veiller devant Dieu pour leurs frères.

Les premiers, dans leur immense majorité, ne pensent pas à offrir leurs efforts au Seigneur, mais les seconds les accueillent et les portent pour les Lui présenter. Grâce à eux, il faut le croire, Dieu entend ce dramatique chant de la peine humaine qui de la terre, chaque nuit, monte vers Lui.

Prière avec les ouvriers de nuit

Il est tard, **Seigneur**,
et je voudrais dormir,
    j'ai besoin de dormir.
Mais ce soir, je pense aux ouvriers de nuit,
A cette multitude d'hommes qui travaillent,
    tandis que nous dormons,
    fabriquant pour nous,
    ce qu'il nous faut pour vivre.

J'ai souvent croisé sur ma route
    les autocars d'ouvriers,
    ramassant dans les quartiers des villes
    et les campagnes reculées,
    la main-d'œuvre soumise
    aux exigences de l'usine.
Implacables métronomes pour ballets sans entractes,
ils rythment la vie d'une armée de travailleurs.

J'ai rencontré des hommes
    dont le corps et les nerfs épuisés,
    n'ont pu suivre le rythme.
    Ils traînent une vie cassée

que rien ni personne ne pourra réparer.

198   J'ai connu des couples éclatés,
où l'époux et l'épouse
ne communiquent entre eux,
que par les mots griffonnés
sur la table de la cuisine.
J'ai joué *tout bas* avec des enfants
condamnés au silence de jour,
... parce que *papa dort*.

Je ne comprends pas **Seigneur**,
Tu as inventé la nuit,
n'est-ce pas pour dormir ?
Quand ton soleil se couche sagement le premier,
éteignant sa lumière il invite au repos !
Mais les hommes ont imaginé le travail de nuit
et le sommeil de jour
Ils allument les néons,
puis ferment les persiennes,
pour faire croire que la nuit est le jour,
et le jour la nuit.

On dit que pour répondre
aux exigences du monde moderne,
il faut *à tout prix* aménager la nature,
On dit que l'économie est première,
qu'elle commande et doit être obéie
et que la machine doit être servie,
de jour comme de nuit.
On dit enfin, qu'ici où là,
on étudie de nouvelles *conditions de travail*,
tentant de ré-humaniser,
ce que l'on a dés-humanisé.

Mais tu sais pourquoi, **Seigneur...**
    pour que le rendement soit meilleur
    et plus forte la production !
L'homme reste un esclave,
    et la souffrance demeure,
    cette immense souffrance
    et ces cris
    et ces plaintes si vite étouffées,
Et cette habitude qui fait que nous n'y pensons plus
quand nous allons dormir
    depuis le temps que c'est ainsi !
    et *parce qu'il le faut bien !*

Mais ce soir, *j'entends*, **Seigneur**
    cette immense clameur,
Et avant de clore mes paupières,
    m'abandonnant à Toi,
Je veux te présenter,
    non pas ces injustes souffrances,
    tu les condamnes
    mais cette somme d'efforts
    qu'elles imposent aux hommes,
    et cette merveilleuse générosité
    que chaque jour elles réclament.
Car pourquoi se lèvent-ils ces ouvriers de nuit,
    si non pour gagner le pain de leur épouse
    et celui des enfants
Et même si quelques-uns
    sont poussés par l'attrait de plaisirs,
    que les riches si facilement déclarent *superflus*,
    quand il s'agit des autres
C'est un prodigieux chant d'amour
qui chaque nuit s'élève,

... tandis que nous dormons.

Mais **Seigneur**, parvient-il jusqu'à Toi ?
beaucoup d'hommes hélas,
ne savent pas pour qui chante leur vie,
au-delà,
bien au-delà,
de leurs amours terrestres !
Tends l'oreille, **Seigneur**,
écoute je t'en supplie,
Afin que ne soit pas perdu tant d'efforts,
tant de peine,
et tant d'amour vécu.

Pardonne-moi **Seigneur**,
pourquoi douter de Toi,
Et ne pas croire que cet hymne de nuit,
peut-être,
monte plus haut vers Toi
que nos faciles cantiques
en chaleureuses assemblées,
Puisqu'ils sont plus que nos mots aimables,
paroles de vie
marquées du sang de l'effort.

Pardonne-moi **Seigneur**,
pourquoi douter de Toi
et pourquoi douter d'eux,
Quand mêlées à ce chœur nocturne
s'élèvent quelques voix très claires,
celles de ces hommes et ces femmes,
qui avant le jour se lèvent,
Veilleurs de nuit,

volontaires ceux-là,
    qui chantent tes louanges,
    cachés en l'abbaye,
Solistes d'amour pur,
    ambassadeurs d'humanité,
    qu'accompagnent à bouche fermée
    et peut-être même à cœur fermé
    la foule des ouvriers de nuit.

Je crois **Seigneur,**
Je crois,
    ... mais dis-moi, ce soir,
    que tu les entends TOUS.

Oui mon petit, dit le **Seigneur,** j'entends,
    car tout homme est mon frère,
    même s'il ne le sait pas
    et *aucun chant d'amour ne s'élève de terre*
    sans parvenir jusqu'à Moi.
Et moi je les accueille tous,
    même les fausses notes,
    pour les transmettre au Père,
    en louanges infinies.

Il y a, certes, diversité de dons spirituels, mais c'est le même Esprit ; diversité de ministères, mais c'est le même Seigneur ; diversité d'opérations, mais c'est le même Dieu qui opère tout en tous. A chacun la manifestation de l'Esprit est donnée en vue du bien commun.

Première Épître aux Corinthiens 12, 4-7

Assis en face du Trésor du Temple, Jésus regarde la foule y jeter sa monnaie. Beaucoup de riches en jettent beaucoup.

Arrive une veuve, une pauvre, elle jette deux petites pièces, quelques centimes.

Jésus appelle ses disciples et leur dit :

— « Je vous en donne ma parole : cette veuve qui est pauvre a jeté plus que tous ceux qui sont en train de jeter dans le tronc.

Car tous ont jeté de leur superflu, mais elle, qui est dans le besoin, a jeté tout ce qu'elle a, toute sa survie ! »

Marc 12, 41-44

Tout de suite, Jésus oblige ses disciples à monter dans la barque. Pendant qu'il renverrait les gens, eux passeraient de l'autre côté, avant lui.

Il renvoie donc les gens et monte dans la montagne, à l'écart, pour prier.

Le soir est venu... Il est là, seul.

Matthieu 14, 22-23

C'est le rêve de beaucoup d'hommes et spécialement de couples, de posséder enfin une maison à eux, un « chez soi » où l'on puisse se retrouver, s'enraciner, et faire vivre sa famille. Mais cette aspiration cache souvent beaucoup d'embûches. La maison que l'on a longtemps désirée peut devenir une préoccupation accaparante : il faut la payer, l'aménager. Elle demande quelquefois à ses habitants beaucoup de temps et d'énergie risquant de les enlever à d'autres tâches nécessaires. Enfin elle peut devenir prison pour ceux qui s'y « enferment ».

Être « riche » d'une façon ou d'une autre, n'est pas un mal — s'il s'agit évidemment d'un juste bien-être — mais c'est une responsabilité. Avoir une maison « à soi » est une richesse légitime si elle permet de mieux « élever » sa famille et de mieux servir ses frères.

Nous t'invitons Seigneur, en notre maison neuve

Nous avons rêvé de maison, **Seigneur,**
    j'ai rêvé de maison,
    et la maison est là,
    la nôtre.

Assise dessus la terre encore fraîchement remuée,
    elle a poussé rapidement.
Elle m'attend chaque soir, fidèle,
Et les larges volets, comme des bras ouverts,
    de loin me font signe et m'appellent.
    C'est chez nous.
    C'est chez moi.
Notre maison, **Seigneur,**
toute neuve, toute belle.

Maintenant, il faut la payer,
    nous ferons des sacrifices.
Maintenant il faut l'aménager,
    nous nous y consacrerons.
Maintenant il faut l'habiter,
    ... et ce n'est pas si simple,
Car les murs de notre maison cachent des pièges,

Seigneur,
    l'ennemi les a posés,
    comme dans les ambassades,
Et si réfléchissant,
    ce soir nous en avons détecté
    quelques-uns habilement camouflés,
    certains ont échappé aux radars de notre cœur,
tandis que d'autres hélas sont tellement attirants
que déjà nous nous y sommes laissé prendre.

Comprends-nous, **Seigneur,**
toi qui as souffert, c'est certain,
de n'avoir *pas un endroit où reposer ta tête,*
Nous avons souffert, nous aussi,
    de cet appartement trop étroit,
    où le bruit habitait avec nous,
    en commun
    de ces escaliers sales
que le soir venu nous avions peine à monter
    de ces murs gris devant nous,
    derrière nous,
    qui nous cachaient le ciel
    de ces voisins,
    pardonne-nous **Seigneur...**
    si difficile à supporter.

Comprends-nous,
nous avons tant attendu,
nous avons tant rêvé,
... et tant attendu parce que tant rêvé,
Que nous avons grande envie aujourd'hui
    de *rentrer chez nous,*
    de nous reposer,

de nous lover dans ce chaud intérieur,
comme dans le ventre d'une mère,

d'allumer de temps en temps le feu de bois
qui chante et danse en riant,
devant la triste mine des radiateurs,
qui chauffent sans sourire,
de regarder dans le jardin les fleurs
plantées en pleine terre,
en vraie terre **Seigneur,**
terre échappée aux chapes de ciment
et au noir goudron.
Nous avons grande envie de *rester chez nous,*
entre nous,
de ne point sortir certains soirs
pour participer à telle ou telle réunion,
de ne plus répondre parfois à l'appel
de ceux qui dehors nous attendent
chez eux,
et de n'ouvrir la porte de *chez nous*
qu'aux seuls amis chaleureux
qui viendront ajouter quelques fleurs,
aux bouquets de nos joies.

Et pourtant, **Seigneur,**
tu le sais,
nos rêves de maison étaient souvent des rêves généreux.
Nous voulions une demeure qui pour nous soit repos,
mais repos pour mieux servir.
Nous voulions une maison ouverte,
où les autres,
tous les autres,
puissent venir
comme ils viennent chez eux.

Maison où l'on sonne,
 entre
 s'installe
 se repose
 se rafraîchit
Maison d'où l'on sort plus léger,
 parce que les fardeaux ont été partagés,
 et quelquefois même déposés.
Maison d'où l'on repart enfin,
 plus riche,
parce que le repas d'amitié vous a été servi.

Mais voilà, **Seigneur,**
 ce soir nous sommes inquiets
car nous les avons découverts *les pièges*
en la maison,
Nous avons besoin de Toi pour ne pas y tomber,
et pour accepter de voir
ceux que nous ne voulons pas voir.
 Reste avec nous, **Seigneur,**
 car il se fait tard,
 et la nuit vient,
épaisse et lourde en nos cœurs fatigués.
Reste avec nous, et sois chez toi, chez nous,
de tout cœur *nous T'invitons en notre maison neuve.*

 Mes petits, dit le **Seigneur,** soyez heureux,
car elle est belle votre maison,
 et avec vous *je m'en réjouis.*
Pourquoi médire d'elle,
 innocente beauté,
 les pièges sont en vos cœurs,

et non pas dans ses murs !

Si votre cœur se ferme, portes et volets se ferment,
    et vous êtes en prison.

Si votre cœur s'ouvre, portes et volets s'ouvrent aussi
    et vous pouvez sortir,
    et les autres, entrer.

Ouvrez tout grand votre cœur,
    et je viendrai chez vous,
    comme jadis chez Marthe et Marie,
    et leur frère Lazare,
    Et si vous le désirez,
    je vous partagerai ma Parole,
    et vous me partagerez le pain,
Et je serai bien chez vous,
    si les autres y sont bien.

Je viendrai,
plus souvent que vous ne le pensez...
    mais je viendrai incognito...
    ... et certains soirs de fatigue, hélas,
me reconnaîtrez-vous
dans l'importun qui se présente ?

— « *Je vais vous montrer à qui ressemble celui qui vient à moi, écoute ce que je dis et s'y engage.*

Il ressemble à quelqu'un qui bâtit une maison : il creuse, il creuse encore puis pose les fondations sur le roc.

Arrive une crue, la rivière s'écrase sur cette maison mais elle n'arrive pas à l'ébranler parce qu'elle a été bien bâtie.

Par contre, celui qui écoute mais ne s'engage pas à faire quelque chose ressemble à celui qui bâtit une maison à même la terre, sans fondations. La rivière s'écrase dessus et bien vite la maison s'écroule !

Vraiment grande est la ruine de cette maison ! »

Luc 6, 47-49

— « *Si quelqu'un m'aime, il retiendra mes commandements. Mon Père l'aimera. Et nous viendrons chez lui. Et nous y fixerons notre domicile.* »

Jean 14, 23

En notre monde aujourd'hui, le drame qui domine tous les autres drames, c'est celui du sous-développement d'une grande partie de l'humanité, face au développement et au surdéveloppement de l'autre.

La permanence du problème fait que nous nous y habituons, seulement réveillés de temps en temps par un choc intolérable en notre sensibilité. De plus son énormité et son aggravation nous laissent souvent sans réactions : « Que pouvons-nous faire ? »

Les pays développés ne pensent qu'à se développer davantage. Ils s'enferment dans leurs problèmes, semblant ne pas vouloir comprendre qu'ils ne pourront jamais les régler sans résoudre l'ensemble de ceux de l'humanité.

On ne peut bâtir un monde de paix sur une immense injustice. L'Église, elle aussi, en ce qui la concerne, se replie trop souvent sur elle-même. Elle se noie dans ses problèmes internes, au dépend de ses tâches missionnaires. Elle ne donne pas l'exemple du partage. Malgré l'appel successif des Papes, les diocèses relativement mieux dotés en prêtres n'ont envoyé dans les diocèses pauvres d'Afrique, d'Amérique Latine, d'Asie, que quelques-uns de leurs prêtres. Elle organise la charité, sert quelquefois héroïquement « les victimes » du sous-développement et même les aide... à mourir. Mais elle ne s'attaque pas aux causes de ce sous-développement. Ce n'est pas son rôle dit-elle. Lorsque quelques prêtres s'y risquent, ils se font souvent rappeler à l'ordre, voire même condamner.

Enfin, si l'Église est prompte à nous rappeler nos responsabilités morales, dans le domaine de la sexualité par exemple, elle est en général — malgré quelques textes officiels courageux, mais peu connus à cause du faible écho qu'en donnent les médias — moins prolixe et véhémente en ce qui concerne notre responsabilité économique, politique... face aux problèmes du monde.

Le drame du sous-développement des peuples et son affreux cortège de soufffrances et de morts est le plus grand péché collectif de notre temps. Pour le chrétien, c'est Jésus Christ qui meurt chaque jour en ses millions de frères.

Ensemble nous sommes responsables.

Il a demandé
« une limonade pour deux »

Il a demandé :
« *une limonade pour deux s'il vous plaît* »
    et le garçon de café a répondu :
« *ce n'est pas possible Monsieur* »
    Ils se sont regardés, elle et lui,
    Il a hésité,
puis résigné, a commandé deux limonades.

Ils avaient trente, ou trente-cinq ans peut-être,
Ils étaient pauvres sûrement, mais non point vaga-
bonds.
    Je les ai observés, **Seigneur,**
    pendant quelques longs instants.
    Ils n'ont pas échangé un seul mot,
    à peine quelques regards.
Je suis parti, les emmenant dans mon cœur.

Je Te les présente ce soir,
    mes amis inconnus,
    mes frères de rencontre.
Je sais que Tu les as vus,

lorsque je les voyais,
mais un frère a le droit,
n'est-ce pas,
De parler à son père de tous ses frères malheureux.

De ceux-ci, **Seigneur,**
je ne connais rien d'autre,
que le signe aperçu de leurs souffrances cachées.
Mais je connais maintenant la blessure,
qu'en mon cœur fragile,
ils ont rouverte,
sans savoir,
qu'ils déclencheraient une tempête.
Car mon cœur est volcan,
Et prompt à s'enflammer,
Et brutalement vomir,
mille coulées de feu,
trop longtemps enfermées.

Tu le sais, **Seigneur,**
J'en souffre,
Et je voudrais souvent que tu me donnes
un cœur paisible,
un cœur qui bat sagement...
et qui me laisse dormir.
Mais je suis fait ainsi,
Et je t'en remercie.
Tant pis pour la souffrance !

Mais je ne veux pas que ce feu,
de moi jailli si souvent,
Se transforme en lave pétrifiée,
dans un désert de mort.

Aussi **Seigneur**,
accueille ce soir ma colère,

    Et mon bouleversement,
    Et mes débordements,
    Et de ma prière,
    mes mots,
    en flèches enflammées
Je n'ai que ma révolte à t'offrir
Mais je suis sûr que tu peux par ton AMOUR,
Transformer cette Force indomptée
    en une mystérieuse Énergie,
    capable de soulever des montagnes.

Une limonade pour deux,
c'était leurs mots à eux.
Mais d'autres mots,
    si souvent lus,
    si souvent entendus,
    et si souvent enfouis,
    oubliés,
Se sont réveillés en moi,
Et comme bêtes sauvages évadées de leurs cages,
    dans ma tête
    ce soir,
    dansent leurs sarabandes infernales...

Un litre d'eau polluée pour une ou dix familles.
Un sac de blé ou de riz pour un village entier.
Une école pour toute une région.
Un hôpital pour tout un territoire.
Une université pour toute une nation.
... Un prêtre pour cent mille hommes.

Un,
UN,
Toujours un,
pour dix,
pour cent,
pour mille et dix mille,
Tandis que d'autres ont dix,
cent,
mille... *pour un*.
Et tout au bout de ces chiffres, l'addition
Et le compte juste
Terriblement juste.
Car des groupes nombreux d'hommes savants,
calculent,
qui savent calculer
Et calculent juste,
avec leurs machines justes.
Des hommes partout s'assoient,
réfléchissent,
discutent
et sur les chiffres justes écrivent des rapports justes.
Et des milliers d'hommes les lisent
et disent : « *le compte est bon* »
Et ce compte,
Ces chiffres,
Ce sont des hommes,
des centaines de millions d'hommes
qui meurent et ne devraient pas mourir !

Ce sont des centaines de millions d'enfants,
le ventre ballonné
et la peau sur les os,
survivant deux ou trois mois

ou deux ou trois années...
Tandis que quelques minuscules bébés
dans leurs couveuses perfectionnées
    pourront vivre toute leur vie d'homme,
    grâce à une armée de médecins
    et d'infirmières dévoués

Ce sont des centaines de millions d'analphabètes,
    qui resteront des *demeurés*
Tandis que d'autres par milliers
    traînent et se bousculent
    dans les universités

Ce sont des centaines de millions d'infirmes
    et de malades qui agonisent
Tandis qu'une foule émue
    généreusement se mobilise,
    pour un seul cœur
    qui va cesser de battre,
    ou un seul petit enfant
    dont les yeux sont éteints

Ce sont des centaines de millions d'hommes
    qui voudraient Te connaître davantage
Seigneur,
Toi qui as dit :
    « *Je suis venu pour qu'ils aient la VIE,*
    et qu'ils l'aient en abondance »
Et dont on ne me fera jamais croire,
    qu'il s'agit seulement,
    de la vie de *leur âme*.
Comme si ta VIE pouvait fleurir
    sur un tas de cadavres !

Comme si tu n'avais pas dit à tes apôtres :
     « *Donnez-leur à manger* »
et à la foule :
     « *Partagez le pain et les poissons* »
et à nous tous :
     « *J'ai eu faim...*
     et vous ne m'avez pas donné à manger »

...Des centaines de millions d'hommes
          qui voudraient te connaître,
Tandis que des évêques
          hésitent à leur envoyer
          un ou deux de leurs prêtres
          parce qu'ils n'ont plus dans leur diocèse
          les deux ou trois cents
          qu'ils jugent nécessaires.
Tandis que de pieux paroissiens font des pétitions,
          réclamant de garder pour eux seuls
          leur dévoué curé.
Tandis qu'une équipe de bons chrétiens protestent,
          parce qu'ils n'ont plus
          leur aumônier
          présent à chaque réunion.

Et pendant ce temps là, **Seigneur...**
Pendant que meurent chaque jour
          Sûrement,
          Inexorablement,
          des millions d'hommes
          qui ne devraient pas mourir,
Nos hommes politiques,
parce que d'eux nous l'exigeons,
Se battent pour *nos* problèmes,

nos vrais problèmes,
    mais aussi nos petits,
    nos très petits problèmes,
N'effleurant que de quelques mots
    dans leurs sages discours
Le drame premier,
Monstrueux
Insupportable
D'une partie de l'Humanité
    qui agonise sous nos yeux.

Et pendant ce temps-là, **Seigneur...**
Ton Église se lamente
    et fait mille efforts,
Pour retenir quelques milliers de ses fils,
    qui d'Elle s'éloignent
    parce qu'ils refusent un Concile,
    et doutent de son Eucharistie
    quand on en change le vêtement.
Ton Église nous rappelle fidèlement,
    que *c'est un péché de prendre la pilule*
    et *un péché très grave*
    de supprimer l'enfant qui doit naître
Mais *ne nous crie pas assez,*
Que c'est aussi monstrueux,
    d'obliger des millions de gamins,
    de gamines
    à se prostituer
    pour une bouchée de pain
Et de laisser *avorter la vie*
de centaines de millions d'enfants
    qui eux, sont nés,
    et vivent

et meurent devant nous.

Et pendant ce temps là, moi, **Seigneur**...
          Moi, qui crie si fort,
          je me satisfais de mes saintes colères,
          et j'en suis fier... !
Je tourne en ma tête de belles idées...
          tout en restant assis.
Je me rassure de quelques savantes excuses
          et de quelques gestes généreux,
          Et pourtant je sais,
Je sais que *les comptes sont bons*
et que les chiffres sont des HOMMES.

O mon **Seigneur**,
donne-moi je t'en prie,
De ne jamais avoir l'indécence de me plaindre,
          même si je suis pauvre,
          par rapport à plus riche que moi
De ne jamais gaspiller —
          cette honte de ceux qui possèdent —
Et d'apprendre à mes fils à ne point gaspiller
          en leur révélant la valeur du pain,
          et du beurre sur le pain.
Donne-moi la volonté
de chercher à aider concrètement
les organismes qui luttent
          pour le développement du tiers-monde
          du quart-monde
Au lieu de critiquer,
          juger,
          du haut de ma suffisance
Et persuadé

que la *prise de conscience générale,* du drame,
de cette partie de l'Humanité qui meurt,
     un jour obligera les hommes
     à s'organiser pour le résoudre
Aide-moi à ne jamais me taire,
     Mais à parler sans cesse,
     Crier,
     Même si je dérange,
     Même si certains veulent étouffer mes cris
     Même si certains me revêtent de rouge
     Et même si mes amis, ne me comprennent pas.

Voilà, **mon Seigneur,**
Ne m'en veux pas,
     je t'avais prévenu.
De ma prière tu vois l'ivraie et le bon grain,
     et tu feras le tri.

     Le volcan est éteint
     Mais je t'en supplie,
     Même si je dois souffrir,
     n'en éteins pas le feu !

« Il y avait un riche qui s'habillait de pourpre et de lingerie fine. Chaque jour, il s'en donnait à cœur joie avec éclat.

Il y avait aussi un pauvre, du nom de Lazare... Couvert de plaies suppurantes, on l'abandonnait devant le porche.

Il désirerait se rassasier de ce qui tombe de la table du riche... mais ce sont les chiens qui viennent lécher ses plaies... »

Luc 16, 19-21

A quoi cela sert-il, mes frères, que quelqu'un dise : « J'ai la foi », s'il n'a pas les œuvres ? La foi peut-elle le sauver ? Si un frère ou une sœur sont nus, s'ils manquent de leur nourriture quotidienne, et que l'un d'entre vous leur dise : « Allez en paix, chauffez-vous, rassasiez-vous », sans leur donner ce qui est nécessaire à leur corps, à quoi cela sert-il ?
Ainsi en est-il de la foi : si elle n'a pas les œuvres, elle est tout à fait morte.

Première Épître de Jacques 2, 14-17

En voyant les foules, Jésus en est tout bouleversé parce qu'ils sont fatigués et laissés à l'abandon comme des moutons sans berger.

Alors il dit à ses disciples :

— « Il y a une moisson abondante mais les ouvriers sont rares.

Demandez donc au propriétaire de la moisson d'envoyer des ouvriers à sa moisson. »

Matthieu 9, 36-38

La religion de la peur c'est fini. Presque fini.

Il est vrai que certains fidèles se sont éloignés de la « pratique » religieuse au fur et à mesure que diminuait en eux la crainte de n'être point en règle. Est-ce un mal ? Si « la peur est le commencement de la sagesse », elle n'est jamais le commencement de l'amour, et les gestes religieux sans une foi authentique, sont plus grave hypocrisie que les gestes de l'amour ne le sont sans amour. Le Seigneur n'a-t-il pas été suffisamment clair !

Le péché et la confession ne sont plus à la mode. Mais si l'on a perdu « le sens du péché » ce n'est pas en en parlant moins, c'est en tolérant trop longtemps d'en parler comme un manquement à des règlements, des commandements. Quant à la « confession » nous l'avions vidée de son sens. Beaucoup de prêtres ne le supportaient plus et beaucoup de fidèles mesurant peu à peu le ridicule de leur démarche se sont abstenus.

Depuis le Concile, l'espoir renaissait. Beaucoup de chrétiens redécouvraient ou découvraient le sens merveilleux de la Réconciliation. Ils revenaient. Mais les mises en garde et les règlements sont revenus eux aussi !...

De grâce, que les hommes d'Église ne recommencent pas à brandir les foudres de l'enfer pour faire « revenir à la foi ». Ils engrangeront peut-être quelques « succès » (!), mais c'est faiblesse d'homme d'obtenir par la crainte ce que l'on veut de l'autre, même son bien, et manque de foi de croire que l'amour se mesure aux « mérites » de l'aimé.

L'Amour de Dieu est infini et GRATUIT. Le prêcher est difficile, mais c'est le cœur de la foi. Et il est plus aisé d'aider les hommes à suivre un règlement soigneusement édicté, qu'à vivre concrètement toute leur vie comme une réponse d'amour à Jésus Christ Sauveur.

Les interdits quand ils résonnent plus fort que les chants d'amour, finissent un jour par tuer l'amour.

Je n'ai plus peur de toi Seigneur !

Je n'ai plus peur de Toi **Seigneur** !
    Je me sens léger,
    Libre,
    Heureux,
Et je t'en remercie.

Parce que je l'avoue je Te craignais un peu...
Un peu seulement n'est-ce pas ?
    Mais c'était trop.
Car dans mon cœur silencieux,
de temps en temps vaguement inquiet je pensais,
    que Te suivre en tremblant,
    ce n'était pas Te suivre.

Ce n'est pas de ma faute **Seigneur**,
On m'a dit tant de choses !...
Et tant de choses qu'on ne dit plus,
    mais qui traînent encore en nos mémoires,
    empoisonnant nos cœurs.

On m'a dit que *c'était mal*

de faire ceci,
car c'était *un péché*
et plus mal encore, cela,
car c'était *péché grave*
Et que du *péché* je serai puni.
Des *petits* en passant,
et des *gros* pour toujours...
A moins que je ne demande pardon
pour éviter la peine.
Il suffisait pour cela...
de *passer à confesse*,
Et d'y passer chaque fois,
que chaque fois gravement je péchais.

Et c'est ainsi **Seigneur** que,
jeune enfant,
je pensais...
Pardonne-moi,
Qu'il suffisait pour éviter l'éternelle punition,
De ne point se tourmenter pendant toute sa vie,
Mais au dernier moment de bien se « *repentir* ».

Certes, on nous rappelait alors
que nous ne savions ni le jour ni l'heure
comme Toi-même nous l'avais dit.
Et quelques prédicateurs sincères et zélés,
Brandissaient aussitôt la *menace de l'enfer*,
pour faire revenir vers Toi
les pécheurs égarés.
Plus la peur était grande,
plus les *retours* nombreux,
et plus grande la joie !

C'était jadis...
Mais un jadis
qui a marqué nos grands-mères d'aujourd'hui.
Et si je t'en parle ce soir **Seigneur,**
    c'est que certains *fidèles*
    regrettent ce passé.
Ils se plaignent que les prêtres ne parlent...
    que d'amour,
    et non pas de péchés
    et de peines éternelles.
S'ils étaient plus sévères disent-ils,
Ils rempliraient les églises qui se vident,
Et les hommes entre eux seraient plus sages,
    qui craindraient davantage !

C'est horrible **Seigneur !**
Je ne juge pas les cœurs je crois à la sincérité.
Mais comment peut-on à ce point
déformer ton message !
    Car tout cela était vrai... !
    Mais est-ce *vraiment vrai,*
    de ne parler à un *vivant,*
    que de maladie à soigner
    et de mort à éviter ?
    Est-ce *vraiment vrai*
de fossiliser l'amour en gestes calculés
    dont minutieusement
    et fidèlement on vérifie les comptes ?
Et d'en mesurer la pureté
au respect de toutes les normes établies.

Comment peut-on croire **Seigneur,**
    sans le dénaturer,

que l'amour un jour puisse naître de la crainte,
Et si le ciel c'est aimer,
comme chez Toi l'on aime,
qu'une quelconque peur,
puisse un jour y préparer ?

Comment peut-on croire **Seigneur**,
qu'il suffit pour Te suivre de respecter des lois,
et d'accomplir régulièrement
quelques gestes religieux,
sans vérifier scrupuleusement
comment vit notre cœur
Cœur qui bat quelquefois,
régulièrement,
sur chemins de traverses,
alors qu'il ne bat plus,
sur routes droites et belles.

Comment peut-on croire que le ciel *se mérite*,
que nous avons à *le gagner*
en y mettant le prix,
comme si l'amour était à vendre,
et n'était pas gratuit !

... Mais comme c'est dur **Seigneur**,
de croire assez en cet AMOUR
et chaque jour vivre disponible,
de telle façon que nous puissions
de Toi le recevoir !

Seigneur je dois te demander pardon,
Car si je n'ai pas *tremblé de crainte* devant Toi,
J'ai quelquefois,

comme beaucoup d'hommes,
en pensant à la mort,
et cet après de la mort,
inquiétant, mystérieux,
Tenté *d'agir comme il faut*,
pour me mettre à l'abri.

Pourtant **Seigneur**,
je t'avais certains jours de plus près aperçu.
Et tu m'avais séduit.
Mais je ne t'ai pas suivi
« *TOI* » qui pourtant me faisait signe.
Je me suis contenté d'une vie *convenable*,
et de pratiques à peu près régulières
Pensant qu'il suffisait d'être *en règle*,
pour pouvoir être en paix.

Mais ton amour est fidèle **Seigneur**,
et tu nous accompagnes
Et sur ma route quotidienne,
je t'ai peu à peu reconnu,
et lentement découvert.

TOI.

Toi qui es venu révéler que Dieu était AMOUR
et rien d'autre de plus,
Toi qui nous a appris à Lui dire
notre Père
car nous sommes ses enfants,
Toi qui nous as donné un seul commandement :
aimer.
Toi qui confiant la charge de l'Église

à ton premier représentant sur terre,
seulement lui demanda :
« *Pierre m'aimes-tu ?* »

C'était TOI, **Seigneur** que je devais suivre,
et suivre par amour.

Moi je ne regrette pas **Seigneur,**
mais au contraire mille fois remercie
  les prêtres qui enfin m'ont fait comprendre,
  que Tu nous as aimés le premier
Que le cœur de la foi c'est d'abord de le croire
  ensuite *de se laisser aimer,*
Et que l'essentiel de la *religion*
C'est de T'aimer et d'aimer tous nos frères,
  comme tu nous as aimés.

Je n'ai plus peur de Toi, **Seigneur !**
Et ce n'est pas la crainte qui me met debout,
  essayant de Te suivre.
Certes je ne suis pas pur,
  tu le sais,
  loin de là !
Mais quand je te prie il me semble,
  ce n'est plus pour entretenir
  une importante relation
dont on tire je ne sais quels nombreux avantages
  mais j'ose dire...
  parce que je t'aime
Parce que je veux développer notre amitié
Et avec Toi
mieux servir tous mes frères les hommes

Et je rêve maintenant...
    quelquefois,
    Et j'en suis fier
    Et j'en suis fou de joie
Je rêve de Te voir face à face
    de me laisser enfin aimer
    de T'aimer sans réserve
Et de voir un jour rassemblés
tous les hommes en frères
En famille,
Autour de notre Père.

La seule peur qui me reste,
    et de celle-là je souffre,
C'est la peur
    de ne point assez aimer
    comme Toi,
    GRATUITEMENT.

« Le Seigneur est ma lumière et mon salut, de qui aurais-je crainte ?

Le Seigneur est le rempart de ma vie, devant qui tremblerais-je ? »

Psaume 26

« C'est pour que nous restions libres que le Christ nous a libérés. Donc tenez bon et ne vous remettez pas sous le joug de l'esclavage (de la Loi)...

En effet, dans le Christ Jésus ni circoncision ni incirconcision ne comptent, mais seulement la foi opérant par la charité.

Votre course partait bien ; qui a entravé votre élan de soumission à la vérité ? Cette suggestion ne vient pas de Celui qui vous appelle...

Pour moi, j'ai confiance qu'unis dans le Seigneur vous n'aurez pas d'autre sentiment ; mais qui vous trouble subira sa condamnation, quel qu'il soit. »...

Vous avez été appelés à la liberté ; seulement, que cette liberté ne se tourne pas en prétexte pour la chair ; mais par la charité mettez-vous au service les uns des autres. »

Galates 5, I-13

« Je vous laisse la paix. Je vous donne ma paix.

Ce n'est pas comme le monde la donne que je vous la donne.

Ne soyez pas bouleversés au fond de vous-mêmes. N'ayez pas peur »

Jean 14, 27

Beaucoup de chrétiens s'engagent dans l'Église. Il en faut, et de plus en plus. D'autres s'engagent dans les œuvres charitables. Il en faut également. Les blessés demandent des bons samaritains. Mais les engagés syndicaux, politiques... sont moins nombreux. Beaucoup s'en méfient et quelques-uns même les condamnent... s'ils ne sont pas de même opinion qu'eux.

Don Helder Camara dit en souriant : « Quand je me dévoue pour les pauvres on dit que je suis un saint. Quand je dénonce les structures qui fabriquent ces pauvres, on dit que je suis communiste. »

Soulager les victimes est louable, mais plus encore lutter contre ces « structures de péchés » dont parle Jean Paul II. Elles fabriquent les victimes et menacent la paix. C'est la dimension sociale de la charité.

Certes le monde de l'économie, du social, de la politique, sont des mondes durs et la lutte en leur sein est quelquefois violente. Elle effraye les chrétiens. Mais toute violence n'est pas condamnable. Les parents qui se battent pour défendre leur enfant en danger sont « violents » mais c'est une violence d'amour. Et l'Église n'a jamais condamné la guerre « défensive » (!), ni les peuples qui se dressent contre l'oppression. Seule la haine n'est pas de Dieu.

Puissent les chrétiens ne pas être des embusqués laissant leurs frères se « salir » dans les luttes justes et nécessaires. Qu'ils y mettent l'amour en combattant avec le Seigneur !

Seigneur je voudrais être sûr qu'avec moi tu combats !

 Seigneur,
avec mes camarades je me bats,
 fidèle à mon *mouvement*,
 mon *organisation*,
Solidaire dans la lutte
pour une vie plus humaine et plus juste.
Mais la bataille est rude,
 et je crains très souvent,
 de m'y rendre sans Toi.

 Seigneur,
je voudrais être sûr, qu'avec moi tu combats !

Il faut hélas des hommes pour se défendre
 quand la guerre sévit.
Tous, un jour peut-être se coucheront,
 refusant de partir,
 mais ce n'est pas demain.
 Et aujourd'hui,
 les causes sont nombreuses à défendre,
 et les guerres sont là,
 qui mobilisent leurs combattants.

Il faut des hommes pour soigner les blessés
et enterrer les morts
    car les victimes sont légions
    qui cherchent dévouement.
Il faut des hommes pour signer les traités,
    quand enfin quelques combats s'achèvent.
Mais il en faut,
Il en faudrait beaucoup plus,
    pour *éviter les guerres en construisant la paix,*
    la paix qui ne peut fleurir
    que sur terre de justice.

J'ai longtemps hésité,
avant de m'engager en ce combat pacifique.
Avec d'autres embusqués je calmais ma conscience,
    prétextant doctement
    qu'un homme à lui seul
    ne peut soulever un monde.
Je refusais les groupes suspects...
    qui font révolution.
Le monde de l'économie,
    des syndicats,
    de la politique,
    étaient pour moi mondes pollués,
Et j'avais peur en m'y plongeant de me salir le cœur.
Mais **Seigneur** je n'étais pas en paix.
Et n'était-ce pas Toi
    qui par les événements
    souvent m'interpellais ?
Car tu m'as dit qu'il faut aimer mes frères,
Mais les aimer
n'est pas seulement leur offrir un sourire,

leur tendre la main,
et la première joue
qui point ne se dérobe
et la deuxième qui pardonne !
S'ils n'ont pas à manger,
S'ils sont ignorants, exploités,
et surtout privés du pain
de dignité,
Puis-je les renvoyer chez eux,
la main fermée sur mes cent francs,
leur disant :
« *je vous aime* »
à moins que ce ne soit :
« *je prie pour vous !* »

Je me suis « *engagé* » mais c'est dur tu le sais.
Car si l'on admire et décore
ceux qui luttent
et qui servent,
quand la guerre fait ravage,
Ceux qui de ce monde injuste et cruel
tentent de faire un monde fraternel,
sont souvent critiqués,
et quelquefois sévèrement condamnés.

Tu m'as poussé en avant **Seigneur,**
je t'en prie ne me laisse pas seul,
car passionné
je me retrouve au plus fort des mêlées,
Agressé...
De mes adversaires
les coups pleuvent
et quelquefois de mes amis,

Mal jugé...

On me classe *trop à droite*
trop à gauche
ou *trop au centre*
chacun m'attribuant une couleur différente.
Je cherche et je me cherche.
Et quelquefois je doute.

Car le combat n'est pas pur
et c'est là ma souffrance
Et si dures sont les batailles,
que souvent je l'avoue
je Te perds de vue.
Seul,
le soir,
devant Toi,
je regrette,
j'ai honte,
et j'attends ton pardon.
Car si je veux me battre,
Je le veux avec Toi.

Écoute ma prière **Seigneur,**
Car si je sais
que nos constructions humaines
ne sont pas le Royaume
Je sais aussi que le levain,
a besoin de la pâte pour la faire monter.
Et la pâte de farine.
Et la farine, de blé.
Et le blé, la farine et la pâte,

réclament le travail de nos mains
pour que le pain soit cuit,
justement partagé,
et que de ce pain offert,
Tu fasses Eucharistie.

Seigneur,
donne-moi je t'en prie,
le levain de ton Amour !

Aide-moi à ne pas juger et condamner
Ceux qui tranquillement assis aux parterres...
discutent,
nous regardant combattre dans l'arène,
Et éloigne de moi la jalousie,
de les voir sans scrupules,
bénéficier de nos victoires,
en oubliant qu'ils nous les doivent.

Aide-moi à comprendre,
accepter,
que des frères vivant de même foi
professent des idées
qui s'opposent aux miennes
Et rends-moi capable de communier à la même table,
que celui, que je combats.

Fais que la fidélité à mon mouvement,
mon parti,
pour moi ne soit jamais un absolu
Moi qui militant consciencieux
accepte ses consignes,
et fidèlement obéis,
Tandis que je m'insurge souvent

quand ton Eglise parle
   et quelquefois refuse de suivre ses directives.
Donne-moi alors,
   la force de dire non
quand ma conscience se refuse à prononcer le oui.
      Et le courage d'accepter
      les reproches d'amis
      m'accusant de trahison,
      alors qu'il s'agit pour moi
      de vraie fidélité.

Aide-moi à fréquenter ton Évangile,
non pour y chercher des *recettes*
que l'on n'y peut trouver
      mais pour me nourrir de ta Parole,
Et que bon grain
elle pousse en mes terres disponibles,
fleurisse en bonne nouvelle pour mes frères,
et mûrisse pour eux
en fruits de justice et de paix.

Accorde-moi enfin **Seigneur**,
      cette grâce suprême...
      Toi seul peux la donner
      d'aimer mes adversaires
      autant que mes alliés
Non pas seulement dans le temple secret,
de mes bons sentiments,
      mais en les écoutant
      les respectant
      tentant de les comprendre,
      et de croire,

que la sincérité,
la générosité,
ne me sont point réservées
mais qu'elles peuvent vivre chez les autres,
même s'ils sont ennemis.
Car tu connais ma passion **Seigneur**,
que trop vite peut-être je baptise,
passion de la justice !
J'ai tant envie quelquefois de me venger,
et de blesser à mon tour
celui qui m'a blessé...
que j'ai du mal,
ô oui, beaucoup de mal à pardonner.

Accorde-moi **Seigneur** la force du pardon.

Je suis avec toi, dit le **Seigneur**
Je suis dans tes combats
Car j'accompagne tous ceux qui luttent
pour défendre leurs frères,
même s'ils s'aventurent en tous terrains,
loin de l'enclos protégé
où somnolent les peureux.
Mais *vérifie ton cœur*, mon petit,
car je ne puis être présent,
là où paraît la haine
Et seul l'amour peut t'assurer victoire,
en t'assurant le mien.

Pourquoi doutes-tu, homme de peu de foi ?
Heureux es-tu !
Heureux êtes-vous tous,

qui osez risquer de vous salir,
et les mains et les pieds,
aux combats de justice.
Car je ne suis pas venu
pour ceux qui les ont gardés propres
parce qu'ils restent assis,
et leurs mains dans les poches.

Ne crains rien !
J'ai lavé les pieds de mes disciples,
Et si les pieds des combattants
ont gardé la poussière
à eux aussi je les laverai.

A quoi cela sert-il mes frères, que quelqu'un dise : « J'ai la foi », s'il n'a pas les œuvres ? La foi peut-elle le sauver ? Si un frère ou une sœur sont nus, s'ils manquent de leur nourriture quotidienne, et que l'un d'entre vous leur dise : « Allez en paix, chauffez-vous, rassasiez-vous », sans leur donner ce qui est nécessaire à leur corps, à quoi cela sert-il ? Ainsi en est-il de la foi : si elle n'a pas les œuvres, elle est tout à fait morte.

Épître de Saint Jacques 2, 14-17

A ceci nous avons connu l'Amour :
celui-là a donné sa vie pour nous.
Et nous devons, nous aussi, donner notre vie pour nos frères.
Si quelqu'un, jouissant des biens de ce monde,
voit son frère dans la nécessité
et lui ferme ses entrailles,
comment l'amour de Dieu demeurerait-il en lui ?
Petits enfants,
n'aimons ni de mots ni de langue,
mais en actes et en vérité.

Première Épître de Saint Jean 3, 16-18

Il nous arrive d'être désespéré devant un être cher qui détruit sa propre vie, et blesse tragiquement celle de ceux qui l'aiment. Réduit à la quasi-impuissance humaine, livré aux larmes, il faut supplier Dieu de nous donner de croire en l'enfant prodigue, au-delà de sa déchéance.

Pour Jésus Christ, il n'y a jamais d'hommes perdus. Quel que soit leur comportement, il croit en tous, car il les regarde avec un autre regard que le nôtre. Un regard qui les atteint au cœur de leur cœur, là où ils sont engendrés sous le souffle d'amour de son Père. Il croit en eux, car il sait que souffrant pour eux et avec eux, il les a sauvés tous.

Sans négliger les moyens humains que notre intelligence nous propose, si nous rejoignons ce regard de Jésus Christ sur tous les hommes, spécialement ceux dont nous désespérons, nous les aiderons à ré-susciter la vie en eux.

« Tout cela n'est pas moi ! »

Me voici ce soir, **Seigneur**, avec toi,
  Devant lui,
  Devant elle.
Il est mon fils,
  mon épouse,
  ma petite-fille
  ou mon ami... qu'importe !
Il est un pauvre et grand enfant perdu,
barque aux amarres rompues,
dans la tempête de la vie.
  Il dérive,
  Drogué,
  Alcoolique,
  Débauché et menteur,
  quelquefois violent,
  odieux...

  Il est avide,
  insatiable,
Brûlant d'une furieuse envie de vivre,
et quelquefois d'une lancinante envie de mourir,
De mourir parce qu'il ne peut pas arriver à vivre.

Il cherche.
Il cherche quoi ?
Du plaisir.
Quel plaisir ?
Du bonheur.
Quel bonheur ?
Il ne sait pas.
Il ne sait plus.
Son corps est éclaté, et son cœur déchiré.

Autour de lui, le désert.
Les siens, un à un se sont découragés.
    Ils pleurent.
Les *bien-pensants* l'ont condamné :
    malade contagieux qu'il faut fuir,
    ou bien emprisonner.
Mais moi, **Seigneur**, *je l'aime,*
et ne puis me résoudre à le laisser mourir.
    Il est mon grand,
    ma grande...
    mon petit,
    ma petite...
Et malgré ses chutes et ses rechutes
Malgré mes peurs et mes désespérances,
    malgré tout,
    Je continue de croire en lui.

Plusieurs fois,
le regardant, au-delà de sa déchéance
Devant *lui* me suis exclamé :
    « *tu es merveilleux !* »
    Il a sursauté,
Ombre de doute,

mais aussi éclair de lumière,
en ses yeux un instant allumés
        Et lui, une fois...
Ô précieux et minuscule espoir dans la nuit !
Alors que je lui reprochais maladroitemant sa vie,
        a murmuré,
        pleurant,
        désemparé :
        tout cela n'est pas moi !

C'est vrai **Seigneur**,
        N'est-ce pas que c'est vrai !
Ce n'est pas *lui*.
        Je le crois.
        Je veux le croire.
        Mais fais grandir ma foi,
        Ma foi en *lui*
Ma foi en Toi qui m'appelles,
m'éprouves chaque jour,
        A travers *lui*.

Donne-moi de croire **Seigneur** que tu es là,
        tant qu'il est là,
        devant moi,
        Vivant.
Donne-moi de croire que c'est Dieu,
        notre Père,
qui lui communique en cet instant le souffle de vie
        comme hier,
Et comme demain encore il le lui offrira,
l'accompagnant fidèle sur ses routes perdues.
Donne-moi de croire qu'il est comme tout homme

fait chaque jour *à ton image*,

Au-delà de ses masques horribles
et des boues du voyage.
Donne-moi de croire
qu'en la terrifiante nuit de ta passion,
        jadis, *Tu l'as sauvé.*

Donne-moi de croire alors,
qu'aujourd'hui,
        Malgré tout
        et malgré lui peut-être
        Au fond de son cœur,
Cœur enterré au tombeau à la pierre scellée
        L'enfant de Dieu bouge,
        Grandit,
        Veut naître,
Et qu'il a besoin pour ré-susciter
qu'un regard d'amour l'atteigne
qu'une voix lui parvienne
comme la tienne jadis
au cœur de la pécheresse :
« *Moi non plus je ne te condamnerai pas* »...
parce que je t'aime
et qu'en *toi* j'ai confiance.

Donne-moi **Seigneur**,
        je t'en supplie
d'être celui qui le lui dit
        et qui le croit.
        Qui le croit de toutes ses forces,
        Puisque Toi, tu le crois.

« Ne jugez pas et vous ne serez pas jugés.

C'est d'après les critères qui vous servent à juger que l'on vous jugera.

Et la mesure dont vous vous servez pour mesurer vous mesurera. »

Matthieu 7, 1-2

— « Aimez vos ennemis.

— Priez pour ceux qui s'acharnent sur vous. »

C'est ainsi que vous deviendrez fils de votre Père, celui qui est Dieu ! Lui qui fait lever son soleil sur méchants et sur bons et qui fait pleuvoir sur fidèles et infidèles.

Matthieu 5, 44-45

Les pharisiens et leurs scribes se plaignent à ses disciples :

— « Pourquoi mangez-vous et buvez-vous avec ceux qui ramassent les impôts des Romains et des voyous ? »

Jésus intervient et leur dit :

— « Les bien-portants n'ont pas besoin de médecins mais ceux qui vont mal...

— Je ne suis pas venu appeler ceux qui sont fidèles à Dieu mais ceux qui font fausse route pour qu'ils fassent une transformation de vie ».

Luc 5, 30-31

Jésus Christ est présent dans nos vies. On nous le dit, on nous le répète. Nous y croyons un peu, beaucoup? Mais que nous soyons au début de nos relations avec Lui, ou très profondément engagés dans notre vie d'amitié, nous souffrons toujours de ne pas le « voir », le « toucher ».

Il nous faut comprendre que la présence « physique » n'est pas le tout de la présence des hommes entre eux. Ceux qui s'aiment authentiquement en ont fait l'expérience.

C'est l'amour qui rend présentes les personnes les unes aux autres, et l'intensité de cet amour mesure l'intensité de leur présence mutuelle.

Dieu qui nous aime tous infiniment, est PRÉSENT à chacun d'entre nous, d'une présence TOTALE.

Jadis les formules de prières, pour le matin et pour le soir commençaient par ces mots : « Mettons-nous en la présence de Dieu, et adorons-Le ». Si nous prenions l'habitude de nous mettre souvent au cours de nos journées, « en présence de Dieu », notre vie en serait transformée.

Elle lui a dit :
« mon petit, je serai avec toi »

L'homme partait, **Seigneur**, je ne sais où,
pour vivre je ne sais quel moment important de sa vie.
    Penché vers sa vieille maman,
      il l'embrassait tendrement,
    Et elle,
      l'embrassait plus tendrement encore,
Puis retenant son visage entre ses mains tremblantes,
    elle murmura :
      « *Va, mon petit, je serai avec toi* ».
Il y eut un long silence...
puis elle ajouta :
      « *Le crois-tu ?* »
      Oui maman », dit-il.
      Il partit.
Et elle,
de son regard mouillé,
de loin l'accompagna.

Plus tard l'homme me dit,
qu'à chacun de ses départs lointains,
il en était ainsi,
et que dans les moments difficiles,

c'était sa force à lui,
de croire que sa maman,
de son amour l'accompagnait.

Et moi ce soir,
méditant,
je réalise tout à coup **Seigneur,**
Que ce sont les mêmes paroles,
que Toi tu prononças,
quand de nous tu pris congé,
pour *retourner au Père*
Je serai avec vous... jusqu'à la fin des temps
Et je suis sûr que de nous tu attends la même réponse
que le fils à sa mère,
Oui, nous le croyons

Tu le sais **Seigneur,** je suis faible,
et souvent,
dans les moments difficiles,
Je cherche pour me soutenir une « *présence* » amie.
J'ai besoin d'une parole,
d'une main à serrer,
d'un visage à embrasser
Mais j'ai compris maintenant
qu'une présence physique
n'est pas forcément le signe d'une présence réelle.
Deux êtres peuvent se voir,
se toucher
et même très fort s'embrasser,
mais demeurer loin,
très loin l'un de l'autre,

séparés
si l'amour entre eux,
par l'intérieur,
ne les unit.
Combien de mains serrées ne sont que comédie !
Combien de couples,
depuis longtemps couchés, dans le lit d'habitudes
ne sont que deux solitudes,
campant de part et d'autre
d'un infranchissable fossé !

Mais je crois aussi
de toutes mes forces **Seigneur**,
Que deux êtres l'un de l'autre cruellement éloignés,
par l'espace ou le temps,
peuvent se rejoindre,
s'unir,
vivre en communion profonde,
si l'amour en eux est vivant.

Je le crois pour les hommes **Seigneur**,
Alors, comment ne pas le croire pour Toi.
Puisque tu nous aimes INFINIMENT,
ta présence à chacun de nous,
ne peut être qu'INFINIE.
Présence Réelle,
Présence Totale,
Toujours et partout.

Rien **Seigneur** ne peut nous séparer de Toi,
Rien qui ne vient de Toi
Mais seulement ce qui vient de nous,

Et d'abord...
notre manque de foi.

Ce soir **Seigneur**,
Tu me répètes :
« *Je serai avec toi jusqu'à la fin des temps* »
Et tout bas tu m'interroges :
« *Le crois-tu ?* »
Oui **Seigneur**, je le crois,
mais augmente ma foi

Donne-moi de vivre toujours
en *ta présence d'amour*
Toi qui m'accompagnes en mes voyages quotidiens,
comme cette vieille maman
accompagne son fils de son amour fidèle.
Aide-moi à travailler *en Ta présence*
à me réjouir *en Ta présence,*
à me reposer *en Ta présence,*
Car si je pensais que Tu es là, **Seigneur**,
Si je m'ouvrais à Ton amour qui s'offre,
jamais plus ne serai seul,
jamais plus ne serai faible
Et je ne pourrais plus, *devant Toi,*
faire le mal que j'ai envie de faire
non pas comme le petit enfant
qui a peur que sa maman *le voie*
et craint d'être *puni*
Mais comme le grand fils
qui découvrant l'immense amour de sa mère,
par sa vie ne désire qu'une seule chose :
lui *rendre grâce.*

« *Je veux paraître devant toi Seigneur, et me rassasier de ta Présence* »

Psaume 16

Qui nous séparera de l'amour du Christ ? la tribulation, l'angoisse, la persécution, la faim, la nudité, les périls, le glaive ?
...
Mais en tout cela nous sommes les grands vainqueurs par celui qui nous a aimés.
Oui, j'en ai l'assurance, ni mort ni vie, ni anges ni principautés, ni présent ni avenir, ni puissances, ni hauteur ni profondeur, ni aucune autre créature ne pourra nous séparer de l'amour de Dieu manifesté dans le Christ Jésus notre Seigneur.

Épître aux Romains 8, 35 et 37-38-39

« *Seigneur, je n'ai pas le cœur fier, ni le regard ambitieux ;*
Je ne poursuis ni grands desseins, ni merveilles qui me dépassent.
Non, mais je tiens mon âme, égale et silencieuse ;
Mon âme est en moi comme un enfant,
Comme un petit enfant contre sa mère »

Psaume 130

« *Je marcherai en présence du Seigneur,*
Sur la terre des vivants »

Psaume 114

Le plaisir est relativement facile à obtenir. Sous des formes très variées, il est surtout nourriture du corps. Mais ces nourritures en général, se consomment très rapidement et laissent souvent un vague goût d'insatisfaction.

La joie est hôte de notre âme. Elle est difficile à acquérir. Elle est vertu qui se conquiert et, mystère incompréhensible pour ceux qui ne l'ont pas éprouvée, elle peut coexister dans un même cœur, avec les plus grandes souffrances.

Dieu seul est bonheur parfait. JOIE parfaite. Seuls les hommes au cœur pur, malgré leurs limites humaines, malgré la souffrance de n'entrevoir sur terre que quelques reflets de la beauté et la grandeur de Dieu, malgré la douleur de voir souffrir leurs frères, peuvent accéder à cette JOIE en s'ouvrant à Dieu et en la recevant de Lui. N'est-ce pas le propre des saints ?... Mais nous, pouvons-nous dire loyalement que « nous avons apprivoisé totalement la JOIE ? »

Je n'ai pas encore Seigneur, apprivoisé la joie

On me dit **Seigneur** qu'il faut sourire
    chaque jour sourire,
    et puis sourire encore.
On me dit que la joie est solide vertu chrétienne,
    et *qu'un saint triste*
    est un bien triste saint.
On me dit que nul ne peut témoigner de Toi,
    si son visage et sa vie,
    ne rayonnent ta Joie.
Je veux bien le croire...
Mais je n'ai pas encore, **Seigneur,**
    apprivoisé la Joie.

La joie est pour moi trop souvent, compagne infidèle,
    elle s'enfuit,
    revient,
    pour repartir encore.
Au moment où je crois enfin, un moment la saisir,
    elle disparaît,
Et dans le ciel bleu de mon cœur,
traînent quelques nuages,

et quelquefois les nuages,
éclatent en orages...
Il a plu sur ma joie.

Seigneur,
si je n'ai pas encore apprivoisé la joie,
c'est de ta faute !
Tu m'as dit que les hommes étaient mes frères,
et qu'il fallait tous les aimer,
même mes ennemis.
J'ai essayé, j'essaye, et quelquefois je pense y parvenir.
Mais j'ai découvert alors, **Seigneur,**
qu'accepter d'aimer,
c'est accepter
de souffrir la souffrance de ceux qu'on aime
... et souvent leur souffrance est immense !

Seigneur,
je ne comprends pas.
Peut-on être pleinement heureux,
quand dans le creux des jours paisibles,
ou le silence de la nuit,
Lancinants comme des plaintes,
Déchirants comme des cris,
nous parviennent, tenaces,
les murmures des chômeurs,
les gémissements des affamés,
les pleurs des époux séparés et des enfants dispersés,
les râles des mourants,
les hurlements des torturés,
l'épouvantable vacarme des combats...
Concert atroce mille fois discordant,

Qui jusqu'à nous s'élève,
Sans cesse,
De cette immense humanité déchirée,
 Membres épars,
 Membres sanglants,
D'un corps que tu as voulu, uni et heureux.

Seigneur,
je ne comprends pas,
 Ton apôtre Paul a dit :
« *Quand un membre souffre,*
  tous les membres souffrent avec lui »,
  et je souffre... un peu,
Et je souffrirais davantage je le sais,
si j'aimais davantage,
mais j'arrêterais de souffrir je le crois,
si mes frères arrêtaient de gémir.

  Non, je ne pourrai pas être pleinement heureux,
quand tant et tant de membres de ma famille
  sont mal-heureux...

Certains y parviennent, **Seigneur.**
Ils disent à table, en regardant la télévision
et les images d'horreurs
que chaque jour elle diffuse :
  « *C'est horrible !...* »
Et puis après un silence gêné :
« *Qu'est-ce que nous avons aujourd'hui*
comme dessert ? »
Ils s'exclament en ouvrant le journal

et découvrant son grand titre :

« Encore un attentat et des morts innocents.
C'est affreux ! »
Et puis, une minute après :
« Il y a un film très drôle dimanche à la Télévision,
il faudra le regarder ! »
Ils proclament pendant la sérieuse réunion :
« Ce qu'il faudrait faire, c'est...
Tant qu'on n'aura pas fait... ».
Ils en discutent pendant deux heures...
puis, avant d'aller dormir, boivent le verre de l'amitié,
en riant des bonnes histoires racontées.
Ils prient régulièrement,
les bons chrétiens, à la prière universelle,
pour tous les malheureux aux multiples visages..
et chantent ensuite leur joie d'être ensemble,
avec Toi,
et de pouvoir offrir au Père ton sacrifice sauveur.
Ils disent encore,
il faut bien vivre !
ce n'est pas un péché d'être heureux
c'est malsain de se culpabiliser,
et plus encore de culpabiliser les autres
on a déjà donné !
il faut faire confiance !
Jésus est vainqueur, Il est ressuscité !
Chantons, embrassons-nous, soyons heureux !

Ils disent...
ils disent,
et moi aussi, **Seigneur,** je dis,
et moi aussi, je vis,
et moi aussi, je ris,

Mais j'ai peur certains jours,
  que ma joie soit une joie préfabriquée,
  éclat de rire bruyant,
  pour couvrir la plainte des hommes.
J'ai peur que ma joie
  soit aveuglement d'une bonne conscience,
  satisfaite des quelques dons offerts,
  et des bonnes actions accomplies.
J'ai peur que ma joie d'un moment soit sommeil,
  évasion dans des rêves dorés,
  portés par l'illusion d'une profonde foi.

... **Seigneur**, je n'ai pas encore apprivoisé la Joie !

Seigneur,
si je n'ai pas encore apprivoisé la Joie,
  c'est aussi parce que...
Tu nous as faits trop petits
  pour ta trop grande Joie.
Peut-on être pleinement heureux,
  quand en nos corps et nos cœurs,
  tant de faims nous tenaillent,
  qu'on ne peut qu'apaiser,
  mais jamais rassasier ?
Peut-on être pleinement heureux,
  quand la vie nous nargue chaque matin,
  faisant danser devant nous d'inaccessibles rêves,
  qui le soir venu, jamais ne sont réalisés ?
Peut-on être pleinement heureux,
  quand une main serrée,
  quand des lèvres unies,
  nous font qu'effleurer le mystère inviolé,
  de l'autre devant nous.

Peut-on être pleinement heureux,
           quand ton Visage
           entre-aperçu certains jours de prière,
           se cache ensuite
dans la trop longue nuit des jours ?

... **Seigneur,** je n'ai pas encore apprivoisé la Joie !

Mon petit dit le **Seigneur,**
accepte tes limites,
           tu n'es pas dieu,
           tu n'es pas *tout,*
Mais tu es membre de mon corps
           et chaque membre reçoit
           quelques petits morceaux de Joie,
           comme bouchée de pain nourrissante,
           comme gorgée de vin rafraîchissante.
Accueille-les.
Je te les donne.

Mais il est vrai, mon petit,
           que si je suis pour toi et pour vous tous,
           Vivant Ressuscité,
Je suis également en mes membres,
           chaque jour, crucifié.
Ma passion n'est pas achevée
           tant que mes frères souffrent,
Et tu souffres *avec Moi.*
C'est le lot du disciple,
           je vous avais prévenus.

N'aie pas honte de souffrir
Mais fais ce que tu as à faire,

pour tes frères
à ta place,
généreusement,
Alors *tu connaîtras la paix,*
une immense paix,
MA PAIX,
Celle que je vous ai promise :
« *Je vous laisse la PAIX,*
je vous donne ma PAIX ».
Quant à la joie que tu demandes,
mon petit, la JOIE pleine et totale,
Peut-être te faudra-t-il attendre le jour
où je te dirai :
« *Bien, bon et fidèle serviteur,*
ENTRE DANS LA JOIE DE TON MAÎTRE »

Jésus parle à ses disciples...

— « *Voilà pourquoi je vous le dis : Ne vous inquiétez pas pour votre vie par des " que manger ? ", ni pour votre corps par des " comment se vêtir ? "*

L'élan de votre vie est plus important que la nourriture. Le corps est plus important que le vêtement.

...

Mettez-vous plutôt à chercher son Royaume et, toutes ces choses-là, vous les aurez en plus.

N'aie pas peur, petit troupeau, parce que votre Père est au comble de la joie : il vous donne le Royaume ».

Luc 12, 22-23 et 31-32

— « *Je vous aime comme le Père m'aime.*

Restez dans cet amour, avec moi. »

Si vous retenez mes commandements, vous resterez dans cet amour avec moi, comme moi, en retenant les commandements de mon Père, je reste dans cet amour avec lui.

Je vous dis ceci pour que ma joie soit en vous et que vous soyez au comble de la joie.

Jean 15, 9-11

C'est par leur corps, paroles et gestes, que les hommes se disent et se transmettent leur amitié et leur amour. La poignée de main et surtout le baiser des amoureux sont des « signes » merveilleux quand ils sont authentiques. Malheureusement les hommes ne mettent pas toujours le meilleur d'eux-mêmes dans ces gestes qui devraient être « sacrement humain ». Ils sont alors contre-signes et même quelquefois trahison.

Dieu lui aussi a pris « corps ». Il s'est « révélé » avec des mots d'hommes. Il a transmis son amitié, son affection avec des gestes d'hommes. Mais Lui se mettait tout entier dans ses mots et ses gestes : « dis seulement une parole et je serai guéri ». Il continue dans son Église de se donner, tout entier à travers des paroles et des gestes : les sacrements.

Si nos gestes d'amitié et d'amour étaient vrais et si le Christ nous habitait pleinement, nous pourrions par eux transmettre à nos frères quelque chose de la « tendresse de Dieu », lui qui pour nous rejoindre s'est fait « chair ».

Seigneur, Ils s'aiment ces deux-là

Seigneur, ils s'aiment ces deux-là
    Je le sais.
    Tu le sais.
Devant moi ils se sont embrassés.
    Je les ai regardés.
    Tu les as regardés.
Et nous étions heureux, n'est-ce pas ?
Car il est beau **Seigneur** ce geste du baiser,
quand il est sacrement de l'amour.
    Souffle échangé :
« *je te donne ma vie, et j'accueille la tienne* »
    Lèvres unies :
« *je m'offre en nourriture et tu me rassasies* »
    Ainsi les amants,
    communiant l'un à l'autre,
Tentent de réaliser leur rêve d'unité.

Oui c'est beau **Seigneur,**
car ils s'aiment ces deux-là,
    dans ta lumière aujourd'hui,
    ils se l'ont *signifié,*
Et moi tout bas,

je t'ai remercié pour notre corps,
qui sans phrase et sans mot,
peut murmurer *je t'aime*,
à tous ceux que l'on aime.
Car tu nous as donné un corps, **Seigneur**,
et des mains
et des lèvres,
Pour faire parler notre cœur qui bat,
mais ne peut pas se dire.
Notre âme sans corps, en effet serait muette,
et notre amour en cage,
Et sans corps nul ne pourrait connaître,
ni l'amour de l'autre,
ni son chant de tendresse.

Et toi aussi, mon Dieu,
ô mystère ineffable,
Toi si grand,
si lointain,
tellement inaccessible,
Que personne jamais ne t'avait vu (1)
entendu,
touché,
Un jour,
pour nous,
tu as pris corps,
Et par ton Fils,
ta Parole fait CHAIR,
Nous as déclaré ton Amour infini.
Toi, Jésus,
qui jadis voulu
de tes lèvres avides
sur le sein de Marie,

se nourrir du lait
d'une mère de chez nous,
Toi qui plus tard de tes mains,
posées sur les malades,
leur redonnais la santé
en leur donnant ta vie,
Toi qui te laissais toucher
par la foule des pauvres et des riches,
des justes et des voleurs,
des adultères,
des prostituées...
Toi qui caressais les pécheurs,
embrassais les enfants,
Toi qui par ton corps crucifié,
crucifiais nos péchés,
Toi qui offris ce corps à tous,
en un *signe efficace*,
sublime baiser d'amour
à l'homme qui l'accueille,
nourriture de VIE
commune-union
communion,
   Toi enfin qui aujourd'hui n'as plus de chair,
et de mains
et de lèvres,
pour dire ton amour,
mais qui *par les nôtres*
veut encore à tous le murmurer,
Je t'en supplie,
apprends-nous à aimer avec ce corps rebelle,
corps créé pour dire notre tendresse
et pour *faire* l'amour,

Mais qui souvent hélas,
    trop lourd, trop avide,
Cherche à se nourrir plus qu'il ne veut offrir,
    et révèle nos faims plus qu'il ne dit notre âme.

Pardonne-nous pour tous ces signes d'amitié,
    d'affection ou d'amour
Qui trop souvent sont trompeuses enveloppes
    dont la vie s'est enfuite
Quand ils ne sont pas mensonges
    et contre-signes,
    pour ceux que le reçoivent
    et ceux qui nous regardent.
Pardon pour ces poignées de main machinales,
    distribuées aux quatre coins de nos journées,
    sans même que se croisent
    nos regards envolés.
Pour ces poignées de main racoleuses,
    en campagne de voix,
    cherchant des autres l'attention,
    en mimant l'intérêt.
Pour ces poignées de mains trompeuses,
    comédie d'amitié,
    quand le cœur rejette,
    mais le corps fait semblant.
Pardon surtout,
Pour ces baisers volés aux autres par surprise,
Pour ces baisers gourmands
    cherchant le seul plaisir.
Pour ces baisers trahison
    qui cachent des ruptures,
Et ces débauches de baisers banalisés,
    chosifiés,

gaspillés,
vides du sang de l'affection
et de l'amour.

O oui, mon Dieu,
apprends-nous à aimer avec ce corps rebelle !

Demain **Seigneur,** si tu ne m'aides,
je repartirai sur ma route quotidienne,
l'âme et le cœur je ne sais où,
égarés,
Moi qui si souvent m'absente de mon corps,
contrefais ses paroles,
et lui fais chanter faux
les chansons de l'amour.
Aussi de toutes mes forces,
une fois de plus ce soir,
Je t'en supplie,
lave mes mains et purifie mes lèvres,
tant de fois prostituées.
Ouvre mon âme à ton Amour infini,
et ré-unis mon corps et mon cœur
si souvent séparés.
Alors riche de moi et enrichi de Toi
je rejoindrai les autres
Et par mes gestes de tendresse,
je leur dirai quelque chose
de ton Amour fait CHAIR.

(1) Jean I,18.

Ne savez-vous pas que vos corps sont des membres du Christ ? Et j'irais prendre les membres du Christ pour en faire des membres de prostituée ! Jamais de la vie !

...

Ou bien ne savez-vous pas que votre corps est un temple du Saint Esprit, qui est en vous et que vous tenez de Dieu ? Et que vous ne vous appartenez pas ? Vous avez été bel et bien achetés ! Glorifiez donc Dieu dans votre corps.

Première Épître aux Corinthiens, 6, 15 et 19-20

La Parole a pris corps.
Elle a dressé sa tente chez nous.
Nous avons contemplé sa splendeur, cette splendeur que, Fils unique plein de joie et de vérité, la Parole tient au Père.

Jean 1, 14

Un Pharisien demande à Jésus de manger avec lui...
Jésus entre dans la maison du Pharisien et s'allonge sur une banquette de table.
Et voici qu'une femme, une dévoyée de la ville apprend que Jésus est à table chez le Pharisien. Elle emporte avec elle un vase de parfum en albâtre.
Elle se place derrière Jésus, à ses pieds. Elle pleure... Bientôt elle commence à lui mouiller de larmes les pieds. De ses cheveux, elle les essuie, elle les embrasse partout et les enduit de parfum.

Luc, 7, 36-38

Beaucoup de chrétiens prennent au sérieux le commandement du Seigneur : aimer tous nos frères. Mais certains vont vers eux avec « leur tête » seulement. C'est-à-dire qu'ils posent les actes fraternels que leur « esprit » leur dicte. En eux, aucun élan, aucune sensibilité nourrissante pour celui qui a faim. Ils accomplissent un « devoir ». Or, non seulement les enfants, mais tous les hommes ont besoin d'amitié, voire de tendresse. Ils en manquent tellement !

Nous devrions aller vers les autres avec tout notre être, corps, cœur, esprit unifiés et non seulement par un morceau de nous-mêmes, et Jésus qui se laissait « toucher », embrasser et savait Lui-même embrasser, pourrait par nous, continuer d'atteindre les hommes avec un « cœur de chair ».

Il m'a serré très fort et m'a dit :
« Je t'adore ! »

C'est un petit enfant, **Seigneur,**
    enfant abandonné
qu'une famille aimante réchauffe à son foyer.
Il est marqué par son passé de souffrance,
    et son visage
    est un long cri qui appelle tendresse.

J'ai essayé de le regarder,
    comme je crois,
    Tu l'aurais regardé.
Je lui ai souri, je l'ai écouté,
et en quelques instants,
nous nous sommes rencontrés.
    Brusquement,
    il a sauté dans mes bras grands ouverts,
    il m'a serré très fort et m'a dit :
    « *Je t'adore !* »
et moi d'un même élan lui ai dit :
    « *Moi aussi.* »

On n'adore que Dieu me répétait ma mère,
    et je ne sais pourquoi

à l'instant je m'en suis rappelé.

Mais ce soir, priant, j'ose penser, **Seigneur,**
    que l'enfant à travers moi,
    et moi à travers lui,
    ensemble,
nous avons découvert et atteint quelque chose de Toi

Car tu souffres avec lui, **Seigneur,**
    à travers lui,
    et son cri est Ton cri,
    et je l'ai je crois,
    ce matin entendu.

Seigneur,
je voudrais être aux pieds de l'enfant crucifié,
comme au pied de la croix.
Mais je voudrais aussi que l'enfant,
    enfin détaché du bois mort,
    où le mal l'a cloué,
    puisse entre mes bras habités de tendresse,
découvrir et *toucher* un peu de ton Amour.

J'ai tant désiré, **Seigneur,**
rassembler tout mon être,
pour aller vers les autres,
    riche de toute ma vie,
Refusant de n'aimer qu'avec *ma tête* seule,
    sèche réponse au commandement d'amour,
Mais craignant de n'aimer qu'avec mon cœur sensible,
ou mon corps trop avide.

Aide-moi, **Seigneur,**
à recueillir en moi,

ce qui est de moi dispersé,
à faire l'unité de mes forces
et risquer l'aventure d'offrir aux affamés,
non quelques gestes de charité,
    sagement programmés,
    mais mon cœur de chair,
    pour qu'ils puissent se nourrir.

Aide-moi à m'ouvrir tout grand à ton amour de Frère,
    pour qu'en communiant à ma vie,
    à la tienne,
    ils communient un peu.
Car Tu n'as plus, **Seigneur,**
de bras pour accueillir les enfants de la terre,
    et surtout ceux que l'on repousse,
    comme jadis les apôtres repoussaient
    ceux qui croisaient ton chemin.
Tu n'as plus de genoux pour les asseoir,
et de regard pour les contempler,
    de mots pour leur parler,
    et pour les faire rire,
    et de lèvres enfin,
    pour tendrement les embrasser.
Mais tu as voulu, ô merveille,
    avoir besoin de nous,
    besoin de moi,
    piètre miroir,
    pour refléter, quelques rayons de ta tendresse.

Ce soir, je te remercie, **Seigneur,**
    d'avoir pu ce matin,

t'offrir un peu de moi, *vivant,*
    pour atteindre l'enfant
    qui secrètement cherchait à t'approcher
    et te toucher.
Mais pardon, **Seigneur,**
d'avoir si souvent gaspillé,
    ou pour moi réservé,
    ce qu'aux autres je devais donner.
Car s'il m'est facile, souvent,
de ne rien refuser à l'enfant,
il m'est hélas difficile de donner et me donner,
    à *tous* mes compagnons de route.

Et pourtant, **Seigneur,** je sais que tout homme,
    est un enfant,
    qui jusqu'à la mort grandit,
Et qu'il soit petit ou grand,
    visage pur ou visage déformé,
    qu'il est enfant du bon Dieu,
    qui attend sa tendresse.

Jésus prend un petit enfant et le place au milieu d'eux après l'avoir câliné. Il leur dit :

— « Celui qui reçoit un de ces petits enfants de ma part, c'est moi qu'il reçoit. Et celui qui me reçoit, ce n'est pas moi qu'il reçoit mais celui qui m'a envoyé. »

Marc 9, 36-37

Oui, Dieu m'est témoin que je vous aime tous tendrement dans le cœur du Christ Jésus !

Épître aux Philippiens 1, 8

... alors que nous pouvions, étant apôtres du Christ, vous faire sentir tout notre poids.

Au contraire, nous nous sommes faits tout aimables au milieu de vous. Comme une mère nourrit ses enfants et les entoure de soins, telle était notre tendresse pour vous que nous aurions voulu vous livrer, en même temps que l'Évangile de Dieu, notre propre vie, tant vous nous étiez devenus chers.

Épître aux Thessaloniciens 2, 7-8

Que nous le voulions ou non, nous sommes tous frères. Mais la famille humaine est nombreuse et les frontières de toutes sortes sont multiples qui nous ont éloignés les uns des autres et font souvent de nous des ennemis.

Au seul plan humain, c'est un devoir de retrouver nos « frères inconnus », de nouer des liens avec eux, et refaire des hommes dispersés, une famille. Jésus est venu pour cela. Il nous a demandé d'aimer tous *nos frères comme nous-mêmes et comme Lui-même nous a aimés. Pour que nous y parvenions il a donné sa Vie pour nous. Ceux qui l'accueillent, en Lui deviennent « enfants de Dieu ». Ils peuvent, ensemble, quels que soient leur race, leur milieu social, leur comportement... s'adresser à Dieu en lui disant « notre » Père.*

Il n'y a plus « d'étrangers ».

Prière pour mes « frères inconnus »

Est-ce vrai, ô mon Dieu,
que depuis toujours,
avant même que nous soyons devenus hommes,
     debout sur la planète,
avant même que l'univers lui-même,
     du néant ne surgisse,
en ton Amour infini,
tu pensais et rêvais à chacun d'entre nous ?

Est-ce vrai que depuis toujours,
avant même que ton Fils,
     ton Verbe,
          ne vînt chez nous,
avant même que par les prophètes,
     il ne fût annoncé,
En Lui tu nous *voyais*
     et tous,
          nous aimais déjà comme tes fils ?

Est-ce vrai qu'à l'aurore du Monde,
     cette terre tu donnas,
          non à quelques hommes mais à tous,

Unique patrie aux multiples visages,
pour qu'ensemble nous l'habitions
et ensemble la transformions ?

Est-ce vrai que lorsque Jésus parut,
homme comme nous,
en frère il nous accueillit tous,
inconditionnellement,
nous *portant en son cœur*,
si loin,
si profond,
qu'en Lui nous fûmes *incorporés*
devenant membres de son Corps,
au point que désormais,
nous ne puissions toucher à l'un de nous,
sans qu'Il dise : « *C'est MOI !* » ?

Est-ce vrai,
enfin,
que tous, en Lui,
ayant traversé la mort,
nous sommes avec Lui entrés en la résurrection,
invités pour toujours à vivre chez notre Père,
en famille réunis,
l'aimant et nous aimant
comme on aime chez Lui ?

Si c'est vrai, ô mon Dieu,
et je crois que c'est vrai,
comment pouvons-nous appeler
un seul homme étranger
puisque nous sommes tous fils d'un même Père,
et tous frères les uns des autres ?

... Et de quel *droit* osons-nous alors,
     ô pardonne-nous mon Dieu !
Décider que tel ou tel territoire
          est à jamais le nôtre,
     et qu'il faut un *visa* pour pouvoir y entrer.
Que ce travail est pour nous réservé,
          et que nul ne peut nous le *prendre*
          à moins que nous le repoussions
          comme peu digne de nous.
Que cet homme enfin *mérite* d'être accueilli,
          tandis que celui-là,
          doit être loin de nous *expulsé*.
Comment le pouvons-nous, mon Dieu,
          sans déchirer ta famille,
mutiler gravement le Corps de ton Fils,
          et en le mutilant,
          nous blesser nous-mêmes *mortellement* ?

Mon Dieu, pardonne-nous, mais comprends-nous !
La terre que tu nous as donnée était pour nous si
grande, quand nous étions petits,
          que nous avons grandi
          éloignés les uns des autres.

Nous avons pris couleurs différentes,
          langages variés,
          habitudes diverses.
Nous nous sommes fabriqués de faux dieux,
          ignorant souvent que nous n'en n'avions qu'*un*,
          et que ce Dieu est Père.
Aujourd'hui enfin

où tous nous pouvons nous connaître
et même nous visiter
Lorsque l'un d'entre nous se présente,
que nous n'avons jamais encore rencontré,
indifférent ou hostile,
nous l'appelons *étranger*...
au lieu de bondir de joie,
heureux de pouvoir embrasser un *frère inconnu*.
C'est pourtant, ô notre Père,
de ces retrouvailles en fête
que tu rêves depuis toujours,
Et ton Fils nous a dit
que nous serons jugés sur cet accueil,
que nous sachions ou non,
que ce frère inconnu, *c'est Lui* (1).

Moi *je sais*, mon Dieu, et j'ai honte de savoir,
sans vivre ce que je sais.
Car si je proclame tout haut,
et quelquefois très fort,
dans les faciles discussions :
je ne suis pas raciste !
Souvent je pense, tout bas :
qu'il y a tout de même des limites...
qu'il est de notre devoir de préserver... !
qu'étant donné les circonstances...
et je découvre que de solides frontières en mon cœur,
sont encore dressées.

Aide-moi, ô mon Dieu !
Aide-moi à changer mon cœur égoïste,

en un cœur fraternel,
afin que de ma communion
jamais personne ne soit exclu
Aide-moi à respecter les autres différents,
sans vouloir à mon image les modeler
moi qui orgueilleusement demeure persuadé,
que cette image
est celle de l'homme *comme il faut*
Aide-moi au contraire,
devant des frères qui si peu me ressemblent
à me reconnaître petit et pauvre,
tant que de leurs différences,
je ne me suis pas enrichi.
Aide-moi à saisir toutes les occasions de rencontres,
qui aujourd'hui si souvent se présentent
pour m'arracher à moi-même
Et marchant vers les autres,
faire des *prochains* de ceux qui me sont loin.

Aide-moi à ne pas juger, encore moins condamner,
ceux qui dans leur vie,
beaucoup plus que dans la mienne
ont à souffrir gravement de frères différents
Aide-moi à être lucide dans les difficultés,
et sans nier les problèmes,
à lutter là où je suis,
avec mes petits ou grands moyens,
pour que jamais,
des règlements,
des lois ne soient dressés,
qui nous empêchent de nous rejoindre
entre *frères inconnus*

Aide-moi enfin,
à m'ouvrir davantage chaque jour à la VIE de ton Fils,
car je le crois,
c'est cette VIE offerte
qui fait de nous des frères
Et je pourrai alors, ô mon Dieu,
en fidèle artisan de ton Projet d'Amour
chaque soir répéter
en te disant bonsoir
« *NOTRE PÈRE* ».

(1) Matthieu 25, 31-46.

*Celui qui aime son frère demeure dans la lumière
et il n'y a en lui aucune occasion de chute.
Mais celui qui hait son frère est dans les ténèbres,
il marche dans les ténèbres,
il ne sait où il va,
parce que les ténèbres ont aveuglé ses yeux.*

Première Épître de Jean 2, 10-11

*Vous êtes tous fils de Dieu, par la foi, dans le Christ Jésus.
Vous tous en effet, baptisés dans le Christ, vous avez revêtu le
Christ : il n'y a ni Juif ni Grec, il n'y a ni esclave ni homme
libre, il n'y a ni homme ni femme ; car tous vous ne faites qu'un
dans le Christ Jésus.*

Épître aux Galates 3, 26-28

Ce qui ne sert à rien, on le jette. Or, nous voulons que notre vie « serve » à ceux que nous aimons, mais aussi si possible à tous nos frères. Il y a tant à faire sur cette terre où la souffrance sous ses formes multiples, accable des multitudes d'hommes !

Qui n'a pas rêvé un jour de « donner » toute sa vie *aux autres et au Seigneur* ? Mais nous nous heurtons durement à nos limites et nous nous résignons très vite, pensant que la générosité totale est réservée aux héros et aux saints.

Ce qui nous effraye surtout, c'est la durée. Offrir chaque jour, chaque instant de notre vie, est-ce possible ? Humainement, non. Avec le Christ, oui, car nous pouvons lui donner tout ; le meilleur de nous-même, le moins bon et même le péché. Et Lui, des pleins mais aussi des creux de nos vies, il peut faire une offrande.

Je suis incapable Seigneur, de « donner toute ma vie » morceaux par morceaux

Je crois **Seigneur**
que je serais capable d'accomplir
quelques actes extraordinaires,
    ... une fois en passant.
Une action qui mobiliserait tout mon être,
    parce que je serais bouleversé par une misère,
    parce que je serais révolté par une injustice,
    parce que quelqu'un des miens serait en danger.
Je crois même certains jours
que je serais capable de risquer ma vie,
    voire de la donner,
    en bloc, d'un seul coup,
Pour mon idéal
Pour mon amour
Pour mon enfant
    ... et peut-être même celui des autres.
Et si cette pensée hélas,
    secrètement,
me permet de m'admirer un peu,
    elle me rassure également,
Car tu nous as dit **Seigneur**
    que *donner sa vie aux autres,*

est la plus grande preuve d'amour qui puisse être.

Mais ce qui m'humilie,
    et souvent me décourage,
c'est que je suis incapable de *donner ma vie*
      morceaux par morceaux,
      par tous petits morceaux,
      jour après jour,
      heure par heure,
      minute après minute,
      donner,
      toujours donner,
      ... et *me* donner.
Cela, je ne le peux pas,
et pourtant c'est sûrement ce que tu me demandes.

C'est si simple ce que tu désires de moi, **Seigneur**!
    C'est trop simple,
    ... et trop difficile.
Faire chaque jour ce que j'ai à faire,
    un petit pas, puis un autre,
    et demain, un autre encore,
    sur ma route quotidienne.
Chaque jour à cheminer avec ceux qui me sont
proches,
    mon mari, ma femme, mes enfants,
    mes collègues de travail,
    mes voisins
    et mes multiples frères de rencontre.
Chaque jour à chaque instant,
    lutter pour vivre
    comme tu veux que je vive

Et avec d'autres me battre,
pour que tous les hommes puissent vivre en hommes.
Chaque jour mille petits morceaux de vie à donner,
  dans mille gestes d'amour possibles,
   mais qui ne se voient plus,
   tellement ils sont habituels,
   et qui ne se remarquent plus,
   tellement ils sont banals,
mais dont Tu me dis que tu as besoin
   pour tisser une offrande
et pour qu'un jour, je puisse dire en vérité :
à mes frères j'ai donné toute ma vie

C'est ce que tu désires **Seigneur**,
  ... mais j'en suis incapable.

Pourquoi as-tu inventé la durée, **Seigneur**,
  et la fidélité dans les petites choses
   et l'amour qui n'en finit pas d'exiger !
J'avais rêvé de *donner toute ma vie* à un autre,
  une autre,
   et aux autres,
Et j'imaginais, inconscient,
qu'il suffisait pour y parvenir d'un seul oui,
  d'un seul geste,
   d'une seule offrande.
Mais j'ai découvert qu'il en faut des milliers
et peut-être des millions.
J'avais rêvé d'une vie qui flambe
en quelques grandes actions,
  et très vite
  j'ai su qu'elle devait se consumer
  lentement,

alimentée de minuscules brindilles
qui sans cesse raniment la flamme
pour ne point qu'elle s'éteigne.

Toujours recommencer,
    Toujours

Mon **Seigneur,** je ne le peux pas,
    et je sais
    et j'ai peur,
    que lorsque devant Toi,
    à ta Lumière j'embrasserai ma vie,
je découvre alors que pour quelques instants donnés,
j'en aurai refusé des milliers
... et je n'aurai pas *donné toute ma vie...*
    mais seulement
    quelques morceaux de ma vie.

Il est vrai mon petit, dit le **Seigneur,**
    que par l'événement,
il est permis à quelques-uns
de livrer toute leur lumière,
    en quelques flashes étincelants,
Mais à beaucoup est demandé
d'allumer mille petites lumières d'amour,
    dans la profonde nuit de leur temps.
    Ne regrette pas.
    Ne juge pas.
Car qui te dit que des millions de bougies
allumées au cours d'une longue vie,
ne font pas plus grande lumière
qu'un éclatant feu d'artifice ?

Pour le reste, mon petit,
je ne te demande pas de toujours réussir,
    mais de toujours essayer.
Et surtout, écoute-moi,
je te demande *d'accepter enfin tes limites,*
de reconnaître ta pauvreté et de me la donner,
Car *donner sa vie,*
ce n'est pas seulement donner ses richesses,
    mais aussi sa pauvreté,
    et même ses péchés.
Fais cela mon petit,
et des morceaux de vie gaspillés,
et par toi soustraits à tous ceux qui attendent,
    je comblerai les creux,
    te restituant la durée,
    car en mes mains,
    ta pauvreté offerte deviendra richesse,
    ... pour l'éternité.

Jésus appelle la foule avec ses disciples et leur dit :
— « Si quelqu'un veut venir à ma suite, qu'il dise « non » à lui-même, qu'il prenne sa croix et qu'il vienne, avec moi. »
Oui, si on veut sauver sa vie, on la perd.
Si on perd sa vie à cause de moi, et de l'Évangile, on la sauve !
Quel intérêt de gagner le monde entier si l'on gâche sa vie ?
Et que donnerait-on en échange de sa vie ?

Marc 8, 34-37

Dieu, qui est riche en miséricorde, à cause du grand amour dont Il nous a aimés, alors que nous étions morts par suite de nos fautes, nous a fait revivre avec le Christ — c'est par grâce que vous êtes sauvés ! —, avec lui Il nous a ressuscités et fait asseoir aux cieux, dans le Christ Jésus.

Épître aux Éphésiens 2, 4-6

Rien n'est plus cruel pour des époux qui s'aimaient, unissant leur vie depuis de longues années, que d'être séparés par la mort. Pourtant ils n'ont pas fini de s'aimer, car l'aimé « disparu » est vivant d'une vie autre, au-delà de la mort et l'amour ne peut pas mourir quand il est dans le Christ un amour authentique.

Mais aimer, sans la présence physique de celui qu'on aime est une épreuve terrible, un « purgatoire » ; la dernière purification de l'amour avant les retrouvailles éternelles. Heureux alors, celui qui restant seul sur cette terre, demeure fidèle (Ce qui ne veut pas dire, bien sûr, que « refaire sa vie » — comme l'exprime le langage populaire — serait une infidélité), et continue de vivre dans la nuit son amour. Il peut donner à ses enfants, et à tous ceux qui doutent de l'amour ou même ne savent pas ce que c'est qu'aimer, le témoignage que l'amour peut vivre et fleurir bien au-delà de deux corps qui cheminent l'un à côté de l'autre, se sourient et s'unissent et qu'il est au bout de son épanouissement, totalement gratuit : « je souffre de l'absence de l'aimé, mais je suis heureux qu'il soit heureux ! »

Quant à la tendresse disponible, qu'elle serve à tous ceux qui en manquent !

Nous n'avons pas fini de nous aimer

Je me suis réveillée, **Seigneur,**
    ... et *il* n'était plus là.
En mon lit me suis retournée,
    ... mais la place était vide,
Et mes doigts solitaires cherchaient encore les siens.

Mon amour est chez Toi ;
    je le crois, je l'espère,
Mais je ne puis m'habituer, **Seigneur,**
    à son absence,
Et chaque réveil est pour moi déchirement,
    comme est déchirement,
l'éveil du malade aux membres amputés.

        Il n'est plus là !

Je ne l'entendrai plus, ô mon chant qui s'est tu.
Je ne serai plus sa terre disponible,
    aux labours quotidiens.
Je ne parcourerai plus sur son visage aimé,
    les sillons de ses rides,
        où j'y glanais la vie,

      les derniers grains de vie,
      que jour après jour,
      dans la joie et la peine,
      nous avions semés,
      moissonnés,
      mille fruits de l'amour.
Je ne quêterai plus tout au fond de ses yeux,
la douce lumière de son regard couchant,
      après les clairs matins,
      l'incendie des midis,
      et quelquefois l'ombre des jours,
      quand les nuages s'amoncelaient,
      et qu'éclatait l'orage,
avant que ne se lève en nos cœurs
l'arc-en-ciel de paix.

Nous nous aimions... mais **Seigneur,**
Nous n'avons pas fini de nous aimer !

Nous nous aimions, **Seigneur,**
mais nous vivions ensemble,
Il était en moi, et moi j'étais en lui,
Et Toi,
      tu scellais nos deux vies,
      pour n'en faire plus qu'une.
Mais *il* s'en est allé sur ces rives lointaines,
      que nul ne peut atteindre
      sans traverser la mort,
Et de ma rive à moi, les pieds sur cette terre,
je ne puis même l'apercevoir,
      ô mon bien-aimé... disparu,
      loin,

si loin,
dans le brouillard de l'infini.

Il n'est plus là !

On dit qu'on s'habitue, **Seigneur,**
que le temps fait son œuvre,
    Mais je le sais maintenant,
ni le temps ni la mort ne peuvent vaincre l'amour,
        car un matin j'ai murmuré *toujours*
        et il m'a dit *toujours,*
        et Toi nous a promis,
que nous nous aimerions jusqu'en éternité.
Sans voir, **Seigneur,**
je veux croire,
        je crois.

Nous n'avons pas fini de nous aimer !

Mais hier c'était ensemble,
        chaque jour,
        que nous nous entraînions,
Car si nous recherchions le bonheur de l'autre,
        souvent nous recherchions le nôtre.
Nous donnions quelquefois et quelquefois prenions,
        mais nos efforts renouvelés,
        grandissaient notre amour.

Nous sommes aujourd'hui entrés en purgatoire.
        Je souffre d'être seule,
        il souffre d'être loin,
        car peut-il être heureux sans moi,
        moi qui suis si malheureuse sans lui !
Mais lui, **Seigneur,** c'est à ta Lumière,

qu'il purifie notre amour,
    tandis que moi,
    c'est dans la nuit
    que je dois le parfaire.

Aide-moi, ô mon Dieu,
à l'aimer dans l'absence,
    aujourd'hui plus encore,
    qu'hier en sa présence.
L'aimer enfin pour lui, sans chercher de retour,
    heureuse qu'il soit heureux
    d'être tout près de Toi,
    ne recueillant pour moi
    que la joie de sa Joie.

Oui, mon amour est intact, en mon cœur vivant,
    la mort n'y peut rien,
    et c'est là ma souffrance,
Car ma source n'est pas tarie, **Seigneur,**
    elle coule et déborde,
Et j'ai des mots d'amour en trop,
    et mille gestes de tendresse,
Des sourires en réserve qui restent inemployés,
Et des larmes en pluie qui m'inondent le cœur,
    et font pousser plus vite encore,
    toutes ces fleurs d'amour.

Je ne les laisserai pas, **Seigneur,**
    s'étioler,
    se faner,
    en mon cœur fermé,
Je les cueillerai chaque jour,

Merveilleuse moisson pour mes enfants,
    et mes petits-enfants,
    mes amis,
    mes voisins
    et tous les mendiants oubliés
    qui quêtent ces brins d'amour,
    sur le bord de mes routes.

Mais ma souffrance, **Seigneur**,
il reste ma souffrance !
L'affreuse solitude, et les longues journées,
et les épaisses nuits,
    L'ABSENCE
cruelle absence
Vide profond où mon cœur certains soirs,
plonge affolé sans en trouver le fond
    Il me manque, **Seigneur**, comprends-tu ?
    Il me manque !
    Pourquoi m'as-tu abandonnée !

Pardon, **Seigneur**.
Pardon pour mes découragements,
Toi qui de ta croix chaque jour fais signe.
C'est lorsque j'oublie de Te regarder,
    que la nuit m'envahit.
    Tu m'attends
    et *lui* près de Toi me regarde,
    et de son amour m'invite,
    me guide et me soutient.

Grâce à Toi, **Seigneur**,
grâce à *lui*,
ma souffrance elle-même, ne sera pas perdue,

Car *j'offrirai ce surcroît d'amour*
    qu'elle exige de moi,
    amour qui vit et grandit au-delà de ma peine.
Je l'offrirai pour ces jeunes explorateurs d'amour,
    qui cherchent sans trouver,
    se perdant,
    innocents,
    aux mirages d'un instant.
Eux qui ne savent pas, **Seigneur,**
ce que c'est que d'aimer,
    que s'arracher à soi pour se donner à l'autre,
    et s'ouvrir béant pour accueillir son don.
Eux qui ne savent pas
que l'amour est très souvent souffrance
    avant que d'être joie,
Joie d'une vie nouvelle qui prend chair
    en deux vies s'unissant,
    sans jamais se détruire.
Eux qui ne savent pas
qu'il n'y a pas d'amour sans toujours,
    et que Toi seul peux donner
    à cet amour sa dimension d'infini.

Je voudrais le leur dire, **Seigneur,**
    leur dire par ma vie,
Et puisque près de Toi mon bien-aimé m'attend,
    dans la Paix, moi aussi,
    j'attendrai la Rencontre,
    Et de ces nouvelles fiançailles,
    cruelles et douces fiançailles,
de cette attente je ferai une offrande,

avant que dans les bras de mon amour fidèle,
  nous nous aimions enfin,
  Seigneur,
  comme on aime chez Toi,
  INFINIMENT, ÉTERNELLEMENT.

Mais si le Christ n'est pas ressuscité, vide alors est notre message, vide aussi votre foi.

...

Si les morts ne ressuscitent pas, le Christ non plus n'est pas ressuscité. Et si le Christ n'est pas ressuscité, vaine est votre foi ; vous êtes encore dans vos péchés. Alors aussi ceux qui se sont endormis dans le Christ ont péri. Si c'est pour cette vie seulement que nous avons mis notre espoir dans le Christ, nous sommes les plus à plaindre de tous les hommes.

Première Épître aux Corinthiens, 15, 14 et 16,-19

— « *Ne soyez pas si secoués au fond de vous-mêmes. Vous avez confiance en Dieu. En moi aussi, ayez confiance.*

Dans la Maison de mon Père, il y a beaucoup de pièces, sinon vous aurais-je dit : je m'en vais vous préparer une place ?..

Et si je m'en vais vous préparer une place, c'est que je vais revenir vous prendre avec moi. Ainsi, vous aussi, vous serez là où je suis.

Jean 14, 1-3

Il y a de nombreuses « expressions de foi » qui accueillies et répétées sans aucune explication, sont très maladroites et quelquefois fausses. Spécialement en ce qui concerne la souffrance. Certes les chrétiens qui les prononcent sont sincères et découvrent, il faut l'espérer, le sens profond à travers l'inexactitude des mots, mais pour les non-croyants qui s'arrêtent aux formules, elles sont révoltantes. Beaucoup se sont éloignés du « bon » Dieu qu'on leur présentait ainsi et qui leur apparaissait monstrueux.

La souffrance est toujours un mal, un « déchet ». Dieu ne s'en réjouit pas, il la « supporte ». Mais il ne nous a pas laissés seuls en face de cette souffrance. Jésus Christ a « récupéré les déchets ». Portant ses propres souffrances il a « porté » les nôtres avec elles. Il en a fait la « matière première de la rédemption ». Mais attention, Jésus Christ n'a pas sauvé le monde « par ses souffrances », mais par l'amour avec lequel il a porté ses souffrances et les nôtres. Il n'y a que l'amour qui sauve et seul l'amour donne la vie.

En face de la souffrance, il nous faut d'abord lutter de toutes nos forces pour la faire reculer. Quand dans nos vies elle refuse de céder, supplions le Seigneur de pouvoir Le rejoindre. Il a déjà souffert notre souffrance. Puissions-nous alors consciemment nous laisser porter par Lui, et porter notre épreuve avec nous. Puissions-nous alors dans la nuit, non pas « offrir notre souffrance » — on n'offre pas des déchets — mais offrir notre foi en son AMOUR SAUVEUR.

Je me laisserai prendre
dans tes bras Seigneur !

Je les regardais **Seigneur**...

Ils étaient deux petits amis,
mais aujourd'hui ils se battaient.
Ils sont tombés,
et l'un et l'autre légèrement blessés,
    ils pleuraient,
      sanglotaient.
      Et...
les deux mamans sont accourues.
L'une a tenté de prendre son enfant dans ses bras
mais l'enfant trépignant l'a repoussée, battue.
    Il est demeuré seul.
    Fermé
    Enfermé
    Et pleurant plus encore.
L'autre s'est laissé emporter
dans un tourbillon de tendresse
    Sa maman le couvrait de baisers.
    Ses larmes ont séché.
De temps en temps il souriait tout en disant :
    « j'ai du bobo, j'ai du bobo ! »
C'était lui le plus blessé

Seigneur,

certains disent que Dieu
« *aime davantage ceux qui souffrent davantage* »
Ce n'est pas vrai n'est-ce pas ?
Tu ne peux pas aimer plus ou moins,
puisque tu nous aimes tous personnellement,
et *tous infiniment*
mais quand nous souffrons,
ton amour,
tel celui d'une tendre mère,
se fait *plus proche,*
plus disponible.
Et nous pouvons comme ces petits enfants,
par Toi nous laisser porter,
et porter nos souffrances avec nous
ou bien Te repousser
et demeurer seul, accablé, révolté.

C'est ainsi qu'une grande souffrance
peut rapprocher de Dieu,
ou nous en éloigner.

Beaucoup se sont éloignés, **Seigneur...**
Ils n'ont pas cru en ton amour.
Et plus encore peut-être
que ceux qui souffrent eux-mêmes,
ceux qui impuissants,
voient cruellement souffrir ceux qu'ils aiment.
Et moi,
orgueilleux,
sûr de moi,
je dis que je crois ¹

Mais il m'est facile de le dire
moi qui ne souffre pas,
    Et je sais,
que si je suis un jour
crucifié par une grande douleur,
       je supplierai
       je crierai
       et peut-être
       comme l'enfant blessé moi aussi,
       je me révolterai !

Alors **Seigneur,** t'accuserai-je ?...
Comme si tu *voulais* la souffrance
et nous *l'envoyait* :
       Toi qui désires pour nous le bonheur,
       et nous donnes la vie.

Peut-être me demanderai-je :
qu'ai-je fait pour *mériter* l'épreuve ?
Comme si tu nous *punissais,*
       tels les instituteurs *sans autorité,*
       punissent leurs élèves,
       tels les pères qui ne *se font pas écouter, respecter,*
       et compensent *leurs* imperfections
       par leur sévérité
Comme si nous ne nous punissions pas assez nous-
mêmes,
       et que tu avais besoin d'en *rajouter,*
       tels les parents giflant leurs enfants désobéissants
       qui tombant, se sont blessés...
       et souffrent.

Peut-être réclamerai-je de Toi un *miracle*?

Comme si tu ne laissais pas la liberté
à tous les hommes,
de construire leur vie,
de se battre contre tous les maux de la terre,
de lutter contre le péché,
qui mystérieusement,
implacablement,
pourrit le monde
et fait pousser d'innombrables souffrances.

Peut-être Te traiterai-je alors d'insensible,
Toi le *bon* Dieu?
Comme si Tu ne souffrais pas
de nous voir souffrir,
Comme souffrent ceux qui aiment,
de voir souffrir ceux qu'ils aiment!

Puisque je peux aujourd'hui, **Seigneur**,
me tourner vers Toi,
les mains et le cœur libre des chaînes de douleurs
Je te prie
Je te supplie
Au-delà des pieuses et fausses considérations
qui mettent à genoux quelques fidèles
mais font frémir d'indignation
tant et tant de nos frères
Éclaire-moi!

Alors, au jour de la grande détresse
peut-être comprendrai-je,
que la souffrance en elle-même
jamais n'est une grâce,

Car elle est un *déchet*.
> déchet d'un monde
> et d'une humanité imparfaits
> parce qu'ils ne sont que créatures
> et qu'ils doivent par Toi être rachetés,
> recréés.

Peut-être comprendrai-je,
> que Toi,
> Jésus,
> tu n'as pas *béni Ta souffrance*
> en la *recevant comme un don*
Que tu ne l'as pas *recherchée*,
> mais que tu l'as *subie*.

Car elle est tombée sur Toi,
ô mon Jésus,
ta croix !
> Croix sur ton épaule.
> TOI, sur la croix.
> Attaché.
> Cloué.
> Sans pouvoir échapper.
> TOI, corps et âme crucifiés
> Désarmé
> Tremblant de peur et de douleur
> Tu as crié,
> suppliant ton Père de « *faire un miracle* »...
> Et Il ne l'a pas fait...
> Il n'a pas pu le faire
Car un père empêche-t-il son fils

de demeurer jusqu'au bout,

solidaire de ses frères !

Je te demande alors de croire,
de toutes mes forces,
que tu n'es pas venu nous enlever nos souffrances
Mais après nous avoir aidés à lutter *contre* elles
    à les vivre avec nous.
Car ces jours-là, Jésus,
    Tu portais
    non seulement ta croix,
    mais les nôtres,
    les grandes et les petites,
    celles d'hier,
    d'aujourd'hui,
    de demain,
    celles de l'humanité entière,
    puisque tu nous aimes,
    et que *victime* de ton amour
toute souffrance d'homme
est devenue Ta souffrance.

O grand Jésus aimant
Il fallait ton Amour pour porter toutes ces croix,
    jusqu'au bout.
Il fallait ton Amour infini,
    pour les soulever,
    les dresser,
corps élevé au-dessus de la terre,
cœur élevé jusqu'en ciel.
Il fallait la TOUTE PUISSANCE de ton Amour,
    pour les pénétrer,

brûler,
désintégrer
et libérer la VIE
Car ce n'est pas le bois mort
qui donne la chaleur et la lumière
c'est la flamme.
Ce n'est pas le bois mort qu'il faut offrir
mais le FEU
le FEU de l'AMOUR qui brûle TOUT.

C'est fait.
Tout est fait.
La souffrance et la mort sont vaincues !

Mais **Seigneur,** aujourd'hui, je ne souffre pas !..
Et si demain,
je ne puis rien faire d'autre...
que de souffrir
Donne-moi, je t'en supplie d'avance
le courage d'offrir.
mon impuissance
Et comme l'enfant blessé
je me laisserai prendre dans Tes bras
et *ton Amour* m'emportera
jusqu'en éternité !

Que nul, s'il est éprouvé, ne dise . « C'est Dieu qui m'éprouve. » Dieu en effet n'éprouve pas le mal, il n'éprouve non plus personne. Mais chacun est éprouvé par sa propre convoitise qui l'attire et le leurre. Puis la convoitise, ayant conçu, donne naissance au péché, et le péché, parvenu à son terme, enfante la mort.

Épître de Saint Jacques I, 13-15

« C'était nos souffrances qu'il supportait, et de nos douleurs qu'il était accablé. Et nous autres nous l'estimions châtié, frappé par Dieu et humilié. Il a été transpercé à cause de nos péchés, écrasé à cause de nos iniquités »

Isaïe 53, 4-5

Dieu qui est riche en miséricorde, à cause du grand amour dont Il nous a aimés, alors que nous étions morts par suite de nos fautes, nous a fait revivre avec le Christ — c'est par grâce que vous êtes sauvés ! —, avec lui Il nous a ressuscités et fait asseoir aux cieux, dans le Christ Jésus.

Épître aux Éphésiens 2, 4-6

Une femme de chez nous est au ciel, maman de Dieu en Jésus Christ, le contemplant éternellement de son regard très pur.

Elle est notre sœur mais aussi notre mère, car chaque jour elle nous engendre en son Fils si nous nous ouvrons à sa Vie.

Fille de la terre, corps et cœur unis, sa tendresse demeure offerte à chacun d'entre nous.

On ne peut vivre sans maman.

Je te salue Marie

Je te salue Marie.

Marie du Oui,
    pour refuser les non
    et toujours accueillir
    l'Amour qui s'annonce.

Marie silence,
    silence en graines
    pour éclore en nos terres
    la Parole de Vie.

Marie la belle,
    belle de Lumière
    pour éclairer visages fermés
    au Soleil de l'Enfant.

Marie du tous les jours.
    pour égrener
    mille instants de journée
    en grains de chapelet

Marie tendresse,
pour nos baisers
vols d'oiseaux
sur fronts déserts.

Marie sourire,
pour vivre en fleurs
fleurs à cueillir
pour les passants.

Marie des larmes,
larmes en rivière
pour irriguer
cœurs desséchés.

Marie là-haut,
la bien placée
Prie pour moi
si mal placé.

Marie mémoire,
mémoire fidèle
souviens-toi de moi
quand les pieds lourds de terre
j'entrerai dans la VIE.

Je te salue Marie,
Marie maman
Marie que j'aime
Ainsi soit-il.

Marie dit :
— « Tout mon être clame la grandeur du Seigneur.
Mon souffle s'enfle de joie : Dieu est mon sauveur !
Oui, il a porté son regard sur sa domestique de petite
condition.
A l'avenir, tout le monde dira ma chance.
Il fait pour moi des choses étonnantes, le Puissant.
Il est saint, notre Dieu ! »

Luc I, 46-49

Jésus voit la Mère et, près d'elle, le disciple qu'il préfère. Il dit
à la Mère :
— « Femme, voilà ton fils ».
Puis il dit au disciple :
— « Voilà ta mère ».
A partir de ce moment, le disciple la prend chez lui.

Jean 19, 26-27

Table des matières

320

*Cet ouvrage a été composé
par l'Imprimerie BUSSIERE
et imprimé sur presse CAMERON
dans les ateliers de la S.E.P.C.
à Saint-Amand-Montrond (Cher)
en août 1989
pour les Éditions Ouvrières*

N° d'édition: 4535. N° d'impression: 1546.
Dépôt légal: août 1989.
Imprimé en France